DE TH

Nicholas Sparks

DE
THUISKOMST

the house of books

Oorspronkelijke titel
Nights in Rodanthe
Uitgave
Warner Books, New York
Copyright © 2002 by Nicholas Sparks Enterprises, Inc.
Copyright voor het Nederlandse taalgebied © 2003 by The House of Books,
Vianen/Antwerpen

Vertaling
Karina Zegers de Beijl
Omslagontwerp
Studio Jan de Boer BNO, Amsterdam
Omslagdia
Barry Yee/Getty Images
Foto auteur
Alice M. Arthur

ISBN 90 443 0787 8
D/2003/8899/63
NUR 302

Voor Landon, Lexie en Savannah

Dankbetuiging

Nights in Rodanthe zou, net als mijn andere romans, nooit geschreven kunnen zijn zonder het geduld, de liefde en de steun van mijn vrouw, Cathy. Ze wordt er elk jaar mooier op.

Aangezien de roman is opgedragen aan mijn andere drie kinderen, rest mij Miles en Ryan te noemen (aan wie ik *De brief* had opgedragen). Ik hou van jullie, jongens!

Verder gaat mijn dank uit naar Theresa Park en Jamie Raab, respectievelijk mijn agent en redacteur. Niet alleen hebben ze een geweldige intuïtie, maar bovendien houden ze mijn werk scherp in de gaten. Hoewel ik zo af en toe nogal eens wil mopperen op de vele extra uren die dat met zich meebrengt, is het uiteindelijke resultaat aan hen te danken. Als zij blij zijn met het verhaal, dan is de kans groot dat het bij u, lezer, eveneens in de smaak zal vallen.

Larry Kirshbaum en Maureen Egen van Warner Books verdienen eveneens een woord van dank. Wanneer ik in New York ben en hen bezoek, is het net alsof ik bij familie ben. Dankzij hen is Warner Books als een tweede huis voor mij geworden.

Denise Di Novi, de producer van zowel *De brief* als *De geur van seringen*, is niet alleen een kei in haar vak, maar ook iemand in wie ik vertrouwen heb en die ik respecteer. Ze is een goede vriendin en verdient heel wat bedankjes voor alles wat ze voor me heeft gedaan en nog steeds voor me doet.

Richard Green en Howie Sanders, mijn agenten in Hollywood, zijn geweldige vrienden, geweldige mensen en ze blinken uit in wat ze doen. Bedankt, jongens.

Scott Schwimer, mijn advocaat en vriend, houdt ten aanzien van mij altijd een oogje in het zeil. Dank daarvoor.

Op het gebied van de publiciteit gaat mijn dank uit naar Jennifer Romanello, Emi Battaglia en Edna Farley; Flag en de rest van het designteam; Courtenay Valenti en Lorenzo De Bonaventura van Warner Bros.; Hunt Lowry en Ed Gaylord II, van Gaylord Films; Mark Johnson en Lynn Harris van New Line Cinema; stuk voor stuk mensen met wie het geweldig werken was. Reuze bedankt allemaal.

Mandy Moore en Shane West waren alle twee geweldig in *De geur van seringen*, en ik waardeer hun enthousiasme ten aanzien van het project.

En ten slotte is daar de familie (die mogelijk een kick

krijgen wanneer ze hun naam hier tegenkomen): Micah, Christine, Alli en Peyton; Bob, Debbie, Cody en Cole; Mike en Parnell; Henrietta, Charles en Glenara; Duke en Marge; Dianne en John; Monte en Gail; Dan en Sandy; Jack, Carlin, Joe, Elaine en Mark; Michelle en Lemont; Paul, John en Caroline; Tim, Joannie en Papa Paul.

En, zeg nu zelf, hoe zou ik Paul en Adrienne kunnen vergeten?

Een

---◆◆◆---

Drie jaar geleden, op een warme novemberochtend in 1999, was Adrienne Willis teruggegaan naar het kleine hotel. Op het eerste gezicht was alles haar precies hetzelfde voorgekomen, net alsof het hotel ongevoelig was voor de zon, het zand en de zilte nevel. De veranda had een nieuw verfje gekregen, terwijl, op de begane grond en de eerste verdieping, de glanzend zwarte luiken aan weerszijden van de vensters met hun witte gordijnen erachter, aan pianotoetsen deden denken. De cederhouten buitenmuurbekleding had de kleur van stoffige sneeuw. Het helmgras aan weerszijden van het gebouw stond vriendelijk groetend te wuiven, en zand vormde een welvend duin dat van dag tot dag, met het verschuiven van de korreltjes, haast onmerkbaar van vorm veranderde.

De lucht had, met de zon die tussen de wolken door

scheen, een bepaalde luminescente kwaliteit, waardoor het leek alsof de zwevende lichtdeeltjes in de nevelige lucht tot stilstand waren gekomen, en heel even had Adrienne het gevoel alsof ze terug was gegaan in de tijd. Maar bij nader inzien vielen haar langzaam maar zeker veranderingen op die ondanks de uiterlijke facelift toch niet te verdoezelen waren: het beginnende rot in de hoeken van de raamkozijnen, roeststrepen langs de dakrand, vochtvlekken onder de goten. Het hotel leek achteruit te gaan, en hoewel ze wist dat ze daar niets aan zou kunnen veranderen, herinnerde Adrienne zich hoe ze haar ogen had gesloten alsof ze alles, in een enkele magische oogopslag, weer net zo kon laten zijn als het ooit was geweest.

En nu stond Adrienne, die een paar maanden geleden zestig was geworden, in de keuken van haar eigen huis, en legde ze de telefoon neer na een gesprek met haar dochter. Ze ging aan tafel zitten, dacht aan dat laatste bezoek aan het hotel en herinnerde zich het lange weekend dat ze er ooit eens gelogeerd had. Ondanks alles wat er in de jaren erna was gebeurd, was Adrienne er nog steeds vast van overtuigd dat liefde de essentie was van een rijk en prachtig leven.

Buiten regende het. Ze luisterde naar het zachte tikken op de ramen. Het gaf haar een prettig vertrouwd gevoel waar ze dankbaar voor was. De herinnering aan die dagen riep altijd een mengeling aan emoties bij haar op die, hoewel het dat net niet helemaal was, sterk aan heimwee deed denken. Heimwee had vaak een romantische ondertoon; maar deze herinneringen waren op zichzelf al romantisch genoeg. Het waren uitsluitend háár herinneringen – ze had ze nooit met iemand gedeeld. Ze waren van haar, en in de loop der jaren was ze ze gaan beschouwen als een soort museum waarvan zij zowel de enige bezoekster als de curator was. En in zekere zin was Adrienne gaan geloven dat ze in die vijf dagen meer had geleerd dan in alle jaren ervoor of erna.

Ze was alleen in huis. Haar kinderen waren volwassen, haar vader was in 1996 gestorven en intussen was het al zeventien jaar geleden dat ze van Jack was gescheiden. Hoewel haar kinderen haar soms aanmoedigden om iemand te vinden om haar laatste levensdagen mee te slijten, had Adrienne daar geen enkele behoefte aan. Het was niet dat ze niets van mannen wilde weten; integendeel, zelfs nu nog betrapte ze zich er wel eens op dat ze in de supermarkt naar jongere mannen keek. Aangezien ze soms slechts enkele jaren ouder waren dan haar eigen kinderen, vroeg ze zich af wat ze zouden denken als ze wisten dat ze hen observeerde. Zouden ze haar onmiddellijk afwijzen? Of zouden ze haar glimlach beantwoorden en haar belangstelling charmant vinden? Ze wist het niet. Wat ze ook niet wist, was of ze in staat waren om achter het grijze haar en de rimpels de vrouw te zien die ze was geweest.

Niet dat ze het erg vond om ouder te zijn. Tegenwoordig had iedereen de mond vol van de glorie van de jeugd, maar Adrienne had geen enkel verlangen om weer jong te zijn. Zo'n tien, vijftien jaar jonger, misschien, maar niet jong. Goed, er waren dingen die ze miste – de trap op rennen, meerdere boodschappentassen tegelijk dragen, of voldoende energie hebben om de kleinkinderen bij te kunnen houden wanneer ze door de tuin renden – maar die ruilde ze graag in voor alle ervaring die ze had opgedaan, en ervaring kwam nu eenmaal met de jaren. Ze sliep goed omdat ze terug kon kijken op het leven in het besef dat ze er niet veel aan veranderd zou willen hebben.

En daarbij, jong zijn had zo zijn problemen. Niet alleen herinnerde ze die zich uit haar eigen leven, maar ze had het ook bij haar kinderen gezien, die zich eerst door hun puberteit heen hadden geworsteld, en daarna door de onzekerheid en chaos toen ze begin twintig waren geweest. En hoewel twee van hen nu in de dertig waren en de derde dat bijna was, vroeg ze zich wel eens af wanneer het moederschap nou eindelijk eens geen fulltime baan meer zou zijn.

Matt was tweeëndertig, Amanda was eenendertig en Dan was net negenentwintig geworden. Ze hadden allemaal gestudeerd en daar was ze trots op, aangezien er een tijd was geweest waarin het nog maar de vraag was of zelfs maar één van hen dat zou doen. Ze waren eerlijk, vriendelijk en verdienden hun eigen kost, en dat was nagenoeg alles wat ze ooit voor hen gewild had. Matt werkte als accountant, Dan was sportverslaggever bij het journaal, en beiden waren getrouwd en hadden een gezin. Adrienne herinnerde zich hoe ze, toen ze met Thanksgiving bij haar waren geweest, aan de kant had gestaan en had gekeken hoe ze hun kinderen achterna hadden gezeten, en op dat moment een grote voldoening had gevoeld omdat haar zoons in het leven toch goed terecht waren gekomen.

Zoals altijd lag het voor haar dochter een beetje gecompliceerder.

De kinderen waren veertien, dertien en elf geweest toen Jack het huis uit ging, en elk kind had de scheiding op zijn eigen manier verwerkt. Matt en Dan hadden hun agressie op het sportveld en zo af en toe met lastig gedrag op school afgereageerd, maar Amanda had er het meeste onder te lijden gehad. Als het middelste kind, ingeklemd tussen twee broers, was ze altijd het gevoeligste van de drie geweest, en als tiener had ze haar vader in huis nodig gehad, al was het maar als afleiding van de bezorgde blikken van haar moeder. Ze begon erbij te lopen in wat Adrienne lompen noemde, ging om met kinderen die van laat uitgaan hielden, en gedurende de eerste paar jaar zwoer ze zielsveel te houden van minstens tien verschillende jongens. Na schooltijd zat ze uren achtereen op haar kamer te luisteren naar muziek waar de muren van trilden, en ze negeerde haar moeder wanneer ze haar voor het eten riep. Er waren tijden waarin ze dagenlang geen woord tegen haar moeder of haar broers zei.

Het duurde een aantal jaren, maar uiteindelijk had Amanda haar weg toch gevonden. Ze koos voor een leven dat grappig genoeg in grote lijnen overeenkwam met dat wat Adrienne ooit eens had gehad. Ze ontmoette Brent op de universiteit, ze trouwden na hun afstuderen en kregen vrijwel meteen kort achter elkaar twee kinderen. Net als de meeste jonge stellen hadden ze het financieel niet gemakkelijk, maar Brent was veel verantwoordelijker dan Jack ooit was geweest. Meteen na de geboorte van hun eerste kind sloot hij, bij wijze van voorzorgsmaatregel, een levensverzekering af, hoewel ze ervan uitgingen dat ze die nog lang niet nodig zouden hebben.

Dat bleek een vergissing.

Acht maanden geleden was Brent overleden aan een kwaadaardige vorm van prostaatkanker. Adrienne had gezien hoe Amanda steeds dieper wegzakte in een zware depressie, en gistermiddag, toen ze de kleinkinderen na een middagje spelen naar huis had gebracht, waren Amanda's gordijnen dicht geweest, had het licht op de veranda gebrand en had ze Amanda zelf in haar badjas in de zitkamer gevonden, waar ze, met dezelfde afwezige blik in haar ogen als op de dag van de begrafenis, voor zich uit had zitten staren.

Terwijl ze daar in Amanda's zitkamer stond, wist ze ineens dat het tijd was om haar dochter over het verleden te vertellen.

Veertien jaar. Zo lang was het geleden.

In al die jaren had Adrienne de geschiedenis slechts aan één iemand verteld, maar haar vader was met het geheim gestorven, en zelfs als hij gewild zou hebben, had hij het aan niemand kunnen vertellen.

Haar moeder was gestorven toen Adrienne vijfendertig was, en hoewel ze het goed met elkaar konden vinden, had ze met haar vader altijd een hechtere band gehad. Hij was, en dat dacht ze nog steeds, één van de twee mannen in haar leven die haar werkelijk begrepen, en ze miste hem nu hij er niet meer was. Zijn leven was typerend geweest voor velen van zijn generatie. In plaats van te studeren had hij een vak geleerd, en hij had veertig jaar lang in een fabriek gewerkt tegen een uurloon dat jaarlijks in januari met een paar centen werd verhoogd. Hij droeg altijd een hoed – ook op warme zomerdagen – nam zijn boterham in een trommeltje met piepende scharnieren mee naar zijn werk en ging elke ochtend om klokslag kwart voor zeven de deur uit om de drie kilometer naar de fabriek te lopen.

's Avonds, na het eten, trok hij een vest en een overhemd met lange mouwen aan. Zijn gekreukte broek verleende hem een onverzorgd aanzien dat er met het verstrijken van de jaren, en helemaal nadat zijn vrouw was overleden, alleen maar slordiger op werd. Hij zat bij voorkeur in de gemakkelijke stoel met de gele schemerlamp naast zich, en las boeken over cowboys en de Tweede Wereldoorlog. In de laatste jaren voor zijn beroertes zag hij er, met zijn ouderwetse brilletje, borstelige wenkbrauwen en diep doorgroefd gelaat eerder uit als een gepensioneerde docent van de universiteit dan als de arbeider die hij geweest was.

Haar vader straalde een bepaalde rust en kalmte uit die ze altijd getracht had te evenaren. Hij zou een goede priester zijn geweest, dacht ze vaak, en wie hem voor de eerste keer ontmoette kreeg altijd de indruk dat hij vrede had met zichzelf en de wereld. Hij was een begaafd luisteraar; met zijn kin op zijn handen gesteund bleef hij de mensen altijd recht aankijken wanneer ze hem iets vertelden, terwijl zijn gezichtsuitdrukking blijk gaf van medeleven, geduld, humor en verdriet. Adrienne wilde dat hij er nu voor Amanda was geweest; ook hij had zijn levenspartner verloren en ze vermoedde dat Amanda naar hem geluisterd zou hebben, al was het alleen maar omdat hij wist hoe moeilijk het was.

Een maand geleden, toen Adrienne voorzichtig geprobeerd had om met Amanda te praten over wat ze doormaakte, was Amanda boos met haar hoofd schuddend van tafel opgestaan.

'Je kunt dit niet vergelijken met jou en pap,' had ze gezegd. 'Jullie twee hadden problemen waar jullie geen oplossing voor konden vinden, en daarom zijn jullie gescheiden. Maar ik hield van Brent. Ik zal altijd van Brent houden en ik heb hem verloren. Je hebt er geen idee van hoe het is om met zo'n verlies te moeten leven.'

Adrienne had niets gezegd, maar toen Amanda de kamer uit was, boog Adrienne haar hoofd en fluisterde een enkel woord.

Rodanthe.

Aan de ene kant kon Adrienne heel goed met haar dochter meevoelen, maar aan de andere kant maakte ze zich zorgen om Amanda's kinderen. Max was zes, Greg was

vier en in de afgelopen acht maanden had Adrienne dui-
delijke veranderingen in hun gedrag bespeurd. Beiden
waren opvallend stil en teruggetrokken geworden. Geen
van tweeën hadden ze in de herfst gevoetbald, en hoewel
Max goed meekwam op school, huilde hij elke ochtend
voor hij het huis uit moest. Greg plaste de laatste tijd
weer regelmatig in zijn bed en kon, bij de minste of ge-
ringste provocatie, opeens een geweldige driftbui krijgen. Sommige van deze veranderingen, wist Adrienne,
waren terug te voeren op het verlies van hun vader, maar
tegelijkertijd waren ze ook een weerspiegeling van de
mens die Amanda sinds het afgelopen voorjaar was geworden.

Dankzij de levensverzekering hoefde Amanda niet te
werken. Desondanks was Adrienne, gedurende de eerste
paar maanden na Brents dood, bijna elke dag bij hen
thuis geweest om erop toe te zien dat de rekeningen betaald werden en om voor de kinderen te koken, terwijl
Amanda op haar kamer had zitten huilen. Ze had haar
dochter in haar armen gehouden wanneer Amanda daar
behoefte aan had, naar Amanda geluisterd wanneer
Amanda wilde praten, en ze had Amanda gedwongen om
per dag minstens twee uur in de buitenlucht door te brengen in de overtuiging dat de frisse lucht haar dochter het
gevoel zou geven dat ze opnieuw zou kunnen beginnen.

Adrienne had gemeend dat het langzaam aan beter ging
met haar dochter. Tegen het begin van de zomer begon
Amanda weer te lachen – eerst aarzelend en bij wijze van
uitzondering, maar daarna steeds vaker. Ze was een paar

keer de stad in geweest en was met de kinderen gaan rol-
schaatsen, en Adrienne liet geleidelijk aan het huishoude-
lijke en administratieve werk weer aan haar dochter over.
Ze wist dat het heel belangrijk voor Amanda was dat ze
de touwtjes van haar leven weer zelf in handen nam.
Adrienne wist uit ervaring dat er van routineklussen een
bepaalde troostende werking uit kon gaan, en ze hoopte
dat haar dochter, wanneer ze zich beetje bij beetje uit
haar leven terugtrok, daar zelf ook achter zou komen.

Maar in augustus, op de dag waarop ze zeven jaar getrouwd zou zijn geweest, trok Amanda de deur van de
kast in de grote slaapkamer open, zag het stof op de
schouders van Brents pakken, en hield ineens op met
vooruit te gaan. Niet dat ze weer áchteruit ging – er
waren nog steeds momenten waarop ze weer de oude leek
– maar voor het merendeel leek het alsof ze ergens halverwege vast was komen te zitten. Ze was niet depressief
en niet opgewekt, niet druk en niet lethargisch, en er was
niets dat haar kon boeien, hoewel de dingen haar evenmin totaal onverschillig lieten. Adrienne had het gevoel
dat Amanda tot de conclusie was gekomen dat vooruit-
gang op de een of andere manier een vervaging van de
herinnering aan Brent tot gevolg zou hebben, en dat ze
had besloten dat niet te laten gebeuren.

Het was alleen niet eerlijk tegenover de kinderen. De
kinderen hadden behoefte aan haar leiding en liefde, en
ze hadden haar aandacht nodig. Ze hadden het nodig van
haar te horen dat alles goed zou komen. Ze hadden hun
vader verloren, en dat was al moeilijk genoeg. De laatste

tijd leek het echter wel, vond Adrienne, of ze ook hun moeder hadden verloren.

In de zwak verlichte keuken keek Adrienne op haar horloge. Dan was, op haar verzoek, met Max en Greg naar de film gegaan, zodat ze vanavond alleen met Amanda zou kunnen zijn. Net als Adrienne maakten haar beide zoons zich zorgen om Amanda's kinderen. Niet alleen hadden ze extra hun best gedaan om actief bij het leven van de jongens betrokken te blijven, maar bijna al hun recente gesprekken met Adrienne begonnen of eindigden met: *Wat kunnen we doen?*

Vandaag had Dan diezelfde vraag opnieuw gesteld, en Adrienne had hem de verzekering gegeven dat ze met Amanda zou praten. Hoewel Dan zich er weinig van voorstelde – hadden ze niet allemaal al meer dan eens geprobeerd met haar te praten? – wist ze dat het vanavond anders zou zijn.

Adrienne wist dat haar kinderen geen al te hoge dunk van haar hadden. Ja, ze hielden van haar en respecteerden haar als hun moeder, maar ze wist dat ze haar nooit echt zouden *kennen*. In de ogen van haar kinderen was ze een aardige maar voorspelbare, lieve en evenwichtige, goedhartige ziel uit een ander tijdperk die nu, na al die jaren, nog steeds dezelfde naïeve kijk op de wereld had als toen ze jong was. En zo zag ze er natuurlijk ook uit – op de bovenkant van haar handen begonnen de aderen zichtbaar te worden, haar figuur leek eerder op een gevuld vierkant dan op een zandloper, haar brillenglazen waren in de loop der jaren dikker geworden – maar wanneer ze hen erop betrapte dat ze op zo'n bepaalde, toegeeflijke manier naar haar keken, moest ze soms haar best doen om niet te lachen.

Hun vergissing, wist ze, kwam voor een deel voort uit hun verlangen haar op een bepaalde manier te zien – een voorgevormd beeld dat ze aanvaardbaar vonden voor een vrouw van haar leeftijd. Het was gemakkelijk – en eerlijk gezegd ook geruststellend – om te denken dat hun moeder een rustig en bedaard type was, iemand die niet hield van avontuur, die liever zwoegde en tobde dan ervaringen op te doen met dingen die ze nooit achter haar gezocht zouden hebben. En overeenkomstig dat lieve, voorspelbare en evenwichtige beeld dat ze van haar hadden, had ze geen enkele behoefte om hen op andere gedachten te brengen.

In de wetenschap dat Amanda elk moment kon arriveren, haalde Adrienne een fles pinot grigio uit de koelkast en zette hem op tafel. Het was kil geworden in huis, en dus zette ze, op weg naar de slaapkamer, de thermostaat een beetje hoger.

Deze kamer, die ze ooit eens met Jack had gedeeld, was nu alleen van haar. Sinds de scheiding had ze hem twee keer opnieuw ingericht. Adrienne liep naar het hemelbed waar ze al sinds haar jeugd van had gedroomd. Tegen de muur, onder het bed, stond een doos waar ooit postpapier in had gezeten. Ze pakte de doos en zette hem naast zich op het kussen.

In de doos zaten de dingen die ze bewaard had: het briefje dat hij in het hotel had achtergelaten, een foto van hem in het hospitaal, en de brief die ze een paar weken voor Kerstmis had ontvangen. Daaronder lagen, gescheiden door de schelp die ze ooit eens op het strand hadden gevonden, twee gebundelde stapeltjes brieven die ze elkaar hadden geschreven.

Adrienne legde het bovenste briefje opzij, trok een envelop uit een van de bundeltjes, en haalde, terwijl ze zich herinnerde hoe ze zich had gevoeld toen ze hem voor het eerst had gelezen, het dubbelgevouwen velletje eruit. Het papier was dun en broos geworden, en hoewel de inkt in de loop der jaren verschoten was, waren de woorden nog steeds goed leesbaar.

Lieve Adrienne,
Ik ben nooit goed geweest in het schrijven van brieven, dus ik hoop dat je me zult vergeven als ik me niet helemaal duidelijk uitdruk.

Ik ben vanochtend – geloof het of niet – per ezel gearriveerd, en heb ontdekt waar ik de eerstkomende tijd door zal brengen. Ik wilde dat ik je kon zeggen dat het beter is dan ik verwacht had, maar helaas kan ik dat niet. Het hospitaal komt van alles tekort – medicijnen, apparatuur en de nodige bedden – maar ik heb met de directeur gesproken en ik denk dat het me wel zal lukken om daar, in ieder geval voor een deel, wat aan te doen. Hoewel ze een aggregaat voor de stroomvoorziening hebben, is er

geen telefoon, dus ik kan je niet bellen tot ik in Es-
meraldas ben. Dat is een paar dagen rijden hiervan-
daan, en er worden pas over een paar weken weer
nieuwe voorraden gehaald. Dat spijt me, maar ik
denk dat we eigenlijk alle twee wel vermoed had-
den dat het zo zou zijn.

Mark heb ik nog niet gezien. Hij is naar een af-
gelegen hulppost in de bergen en wordt pas laat in
de avond terugverwacht. Ik zal je laten weten hoe
dat is gegaan, maar in eerste instantie stel ik me er
weinig van voor. Zoals je zelf al zei, ik denk dat we
eerst een tijdje nodig zullen hebben om elkaar te
leren kennen voordat we kunnen beginnen de pro-
blemen tussen ons aan te pakken.

Je kunt je niet voorstellen hoeveel patiënten ik van-
daag op het spreekuur heb gehad. Ik ben de tel kwijt-
geraakt, maar ik schat dat het er over de honderd
zijn geweest. Het is lang geleden dat ik op deze ma-
nier met patiënten met dit type problemen bezig ben
geweest, maar de verpleegster was erg behulpzaam,
zelfs toen ik me even geen raad meer wist met de si-
tuatie. Ik denk dat ze allang blij was dat ik er was.

Sinds mijn vertrek heb ik voortdurend aan je
moeten denken, en heb ik me afgevraagd waarom
mijn reis via jou moest verlopen. Ik weet dat mijn
reis nog niet voltooid is en dat het leven een kron-
kelig pad is, maar ik hoop alleen dat het zich op de
een of andere manier weer terug zal slingeren naar
de plek waar ik thuishoor.

Zo zie ik het nu. Dat ik thuishoor bij jou. In de auto, en later in het vliegtuig, verbeeldde ik me dat je op het vliegveld van Quito in de menigte op me stond te wachten. Ik wist natuurlijk wel dat dat onmogelijk was, maar op de een of andere manier maakte dat het vertrek er wat gemakkelijker op. Het was bijna alsof er een deel van jou met mij mee was gegaan.

En dat wil ik geloven. Nee, dat wil ik anders zeggen – ik wéét dat het zo is. Vóór we elkaar ontmoetten was ik een verloren ziel, en toch zag je iets in me waardoor ik weer een gevoel van richting in mijn leven kreeg. We weten alle twee waarom ik naar Rodanthe was gegaan, maar ik ontkom niet aan de indruk dat er hogere machten aan het werk waren. Ik ging erheen om een hoofdstuk in mijn leven af te sluiten, in de hoop dat het me zou helpen mijn verdere weg te vinden. Maar toch denk ik dat ik van begin af aan naar jou op zoek ben geweest. En jij bent het die nu bij mij bent.

We weten alle twee dat ik de eerstkomende tijd hier zal zijn. Ik weet niet precies wanneer ik weer terug zal komen, en hoewel er nog maar amper tijd verstreken is, mis ik je al meer dan ik ooit iemand heb gemist. Aan de ene kant zou ik niets liever doen dan op het eerste het beste vliegtuig stappen en zo snel mogelijk weer naar je teruggaan, maar als dit zo echt is als ik denk dat het is, weet ik zeker dat we deze periode zullen doorstaan. En ik beloof je dat ik terug zal komen. In de korte tijd die we samen hebben beleefd, hebben we iets meegemaakt waar de meeste mensen alleen maar van kunnen dromen, en ik tel de dagen tot ons weerzien. Vergeet nooit hoeveel ik van je hou.

Paul

Toen ze klaar was met lezen, legde Adrienne de brief opzij en pakte de schelp die ze op een zondagmiddag lang geleden hadden gevonden. Zelfs nu nog rook hij naar zee, tijdloosheid en de primitieve geur van het leven zelf. Hij was middelgroot, volmaakt van vorm en zonder barstjes, en het was vrijwel onmogelijk om zo'n gave schelp na een onweer in de ruwe branding van de Outer Banks te vinden. Een voorteken, had ze toen gedacht, en ze herinnerde zich hoe ze hem tegen haar oor had gedrukt en gezegd had dat ze er de zee in kon horen. Daar had Paul om moeten lachen, en hij had gezegd dat het de zee zelf was die ze hoorde. Hij had zijn armen om haar heen geslagen en gefluisterd: 'Het is vloed, of was je dat nog niet opgevallen?'

Adrienne haalde nog een paar dingen uit de doos die ze nodig had voor haar gesprek met Amanda, en wilde dat ze nog wat meer tijd had om de rest te bekijken. Misschien straks, dacht ze. Ze stopte de resterende dingen in de onderste lade omdat ze het niet nodig vond dat Amanda alles zou zien. Toen pakte Adrienne de doos, stond op van het bed en streek haar rok glad.

Haar dochter kon elk moment komen.

Twee

Adrienne was in de keuken toen ze de voordeur open en dicht hoorde gaan; het volgende moment kwam Amanda de zitkamer in.

'Mam?'

Adrienne zette de doos op het aanrecht. 'Ik ben hier,' riep ze.

Toen Amanda de klapdeurtjes openduwde en de keuken in stapte, zag ze haar moeder achter een dichte fles wijn aan de keukentafel zitten.

'Wat is er aan de hand?' vroeg Amanda.

Adrienne glimlachte en realiseerde zich hoe knap haar dochter was. Met lichtbruin haar, groenbruine ogen en haar hoge jukbeenderen was ze altijd al een aantrekkelijke verschijning geweest. Hoewel ze twee centimeter kleiner was dan Adrienne, had ze de kaarsrechte houding van een danseres, waardoor ze langer leek dan ze was. En ze was ook mager – een beetje té mager vond Adrienne, maar Adrienne had geleerd zich daar niet mee te bemoeien.

'Ik wilde met je praten,' zei Adrienne.

'Waarover?'

In plaats van antwoord te geven, wees Adrienne op de tafel. Van dichtbij zag Amanda er moe uit, en Adrienne pakte haar hand. Ze drukte hem, zei niets en liet hem toen met tegenzin weer los, terwijl ze zich omdraaide naar het raam. Gedurende lange seconden was het volkomen stil in de keuken.

'Mam?' vroeg Amanda ten slotte. 'Is er iets?'

Adrienne sloot haar ogen en schudde haar hoofd. 'Nee, er is niets. Ik vroeg me alleen maar af hoe ik moet beginnen.'

Amanda verstrakte een beetje. 'Wil je het weer over mij hebben? Want als dat zo is, dan –'

Adrienne viel haar hoofdschuddend in de rede. 'Nee, het gaat over mij,' zei ze. 'Ik ga je iets vertellen dat mij veertien jaar geleden is overkomen.'

Amanda hield haar hoofd schuin, en in de vertrouwde omgeving van de kleine keuken begon Adrienne aan haar verhaal.

Drie

Rodanthe, 1988

De ochtendhemel was grijs toen Paul Flanner het kantoor van zijn advocaat verliet. Hij ritste zijn jack dicht, liep door de mist naar zijn gehuurde Toyota Camry en realiseerde zich, terwijl hij instapte, dat er nu, met het zetten van zijn handtekening onder het verkoopcontract, officieel een einde was gekomen aan het leven dat hij de afgelopen kwart eeuw had geleid.

Het was begin januari 1988, en in de afgelopen maand had hij zijn twee auto's, zijn artsenpraktijk en nu, tijdens dit laatste bezoek aan zijn advocaat, zijn huis verkocht.

Hij had niet geweten hoe hij zich bij de verkoop van het huis zou voelen, maar toen hij de sleutel achter zich in het slot had omgedraaid, had hij zich gerealiseerd dat hij eigenlijk helemaal niets voelde, hooguit dan misschien iets van voltooiing. Eerder die ochtend was hij voor de laatste keer van kamer naar kamer door het huis gelopen in de hoop dat hij zich bepaalde scènes uit zijn leven zou herinneren. Hij had verwacht dat hij zich de kerstboom zou herinneren, en hoe opgewonden zijn zoon was geweest toen hij in zijn pyjama de trap af was gekomen om te zien wat de kerstman voor hem had meegebracht. Hij had aan Thanksgiving gedacht en geprobeerd zich geuren in de keuken te herinneren, of aan regenachtige zondagmiddagen wanneer Martha een stoofpot had gekookt, of het geluid van stemmen die vanuit de zitkamer klonken tijdens een van de talloze feesten die hij en zijn vrouw hadden gegeven.

Maar terwijl hij van de ene naar de andere kamer was gelopen en hier en daar even was blijven staan en zijn ogen had gesloten, waren hem geen beelden uit het verleden te binnen geschoten. Het huis, had hij beseft, was niet meer dan een lege huls, en opnieuw vroeg hij zich af waarom hij er al die jaren was blijven wonen.

Paul reed van de parkeerplaats af, mengde zich onder het verkeer, en reed naar de snelweg, tegen de stroom van forensen in die vanuit de buitenwijken de stad in kwamen. Twintig minuten later reed hij de Highway 70 op – de tweebaanssnelweg die in zuidoostelijke richting naar de kust van North Carolina voerde. Op de achterbank stonden twee reistassen. Zijn vliegtickets en paspoort zaten in het leren tasje dat naast hem op de voorbank lag. Achter in de kofferbak zaten zijn dokterstas en de verschillende medische voorraden die ze hem gevraagd hadden mee te brengen.

De hemel vertoonde witte en grijze tinten, en de winter was al niet meer weg te denken. Die ochtend had het een uur lang geregend, en door de noordenwind voelde het kouder aan dan het was. Het was niet druk op de snelweg, maar er was toch nog redelijk veel verkeer. Hij zette de cruise-control net een paar kilometer boven de toegestane maximumsnelheid, en liet zijn gedachten opnieuw teruggaan naar wat hij die ochtend had gedaan.

Britt Blackerby, zijn advocaat, had voor de laatste keer geprobeerd hem op andere gedachten te brengen. Ze waren al jaren bevriend, en zes maanden geleden, toen Paul hem voor het eerst van zijn plan had verteld, had hij gedacht dat hij alleen maar een grapje maakte. Hij had hardop gelachen en gezegd: 'Dát wil ik wel eens zien.' Pas toen hij over de tafel heen in Pauls ogen had gekeken, had hij zich gerealiseerd dat het hem werkelijk ernst was.

Paul had zich natuurlijk op dat gesprek voorbereid. Dat was een gewoonte die hij niet af kon leren, en hij had drie keurig getypte velletjes over de tafel heen geschoven, waarop stond wat hij redelijke prijzen achtte en welke voorwaarden hij in de voorgestelde contracten opgenomen wilde zien. Britt had er lange tijd op zitten turen, waarna hij ten slotte had opgekeken.

'Is dit vanwege Martha?' had Britt gevraagd.

'Nee,' had hij geantwoord, 'het is gewoon iets dat ik wil doen.'

In de auto zette Paul de verwarming aan, en hij hield zijn hand voor de ventilator om zijn vingers in de luchtstroom te warmen. Hij keek in de achteruitkijkspiegel, en bij het zien van de wolkenkrabbers van Raleigh vroeg hij zich af wanneer hij ze terug zou zien.

Hij had het huis verkocht aan een jong werkend echtpaar – de man had een leidende functie bij Glaxo en de vrouw was psychologe – dat het meteen de eerste dag toen het op de markt was gekomen, was komen bezichtigen. Ze waren de dag daarop teruggekomen en hadden, enkele uren na hun bezoek, een bod uitgebracht. Ze waren de eersten en de enigen die het huis bezichtigd hadden.

Paul was niet verbaasd geweest. Hij was er tijdens hun tweede bezoek bij geweest, en ze hadden een uur lang over de verschillende bijzonderheden van het huis gesproken. Hoewel ze hun best hadden gedaan om geen enthousiaste indruk te maken, had Paul meteen toen hij ze zag al geweten dat ze het huis zouden kopen. Paul liet hen de eigenaardigheden van het alarmsysteem zien, en hoe ze het hek moesten openmaken dat deze buurt van de rest van de wijk scheidde; hij gaf hun de naam en het visitekaartje van het hoveniersbedrijf dat de tuin onderhield en van het bedrijf dat voor het onderhoud van het zwembad zorgde en waarmee hij nog een contract had lopen. Hij vertelde dat het marmer van de hal uit Italië was geïmporteerd en dat de glas-in-loodramen vervaardigd waren door een glazenier in Genua. De keuken was pas twee jaar eerder vernieuwd; de Sub-Zero koelkast en het Viking fornuis golden nog steeds als ultramodern; nee, had hij gezegd, koken voor twintig personen of meer was geen enkel probleem. Hij liet ze de grote slaapkamer met de badkamer en de andere slaapkamers zien, en zag ze verliefde blikken werpen op het handgesneden lijstwerk en de met behulp van een spons gesauste muren. Beneden wees hij hen op de op maat gemaakte meubels en de kristallen kroonluchter, en liet hij hen het Perzische tapijt onder de kersenhouten tafel in de formele eetkamer bekijken. In de bibliotheek wachtte Paul op de echtgenoot die zijn vingers over de lambrisering van esdoornhout liet gaan, en vervolgens de Tiffany-lamp op de hoek van het bureau bewonderde.

'En is al het meubilair bij de prijs inbegrepen?' vroeg de echtgenoot.

Paul knikte. Hij verliet de bibliotheek en kon hen, terwijl ze hem volgden, opgewonden achter zijn rug horen fluisteren.

Bijna een uur later, toen ze bij de deur stonden en klaar waren om te gaan, stelden ze de vraag waar Paul op gewacht had.

'Waarom wilt u verkopen?'

Paul herinnerde zich hoe hij naar de man had gekeken en had geweten dat hij het niet alleen maar uit nieuwsgierigheid had gevraagd. De prijs die hij vroeg was veel te laag – zou zelfs zónder meubels nog veel te laag zijn geweest – en hij begreep dat het echtpaar zich afvroeg of er misschien iets mis was met het huis.

Paul had kunnen zeggen dat het huis, nu hij alleen was, te groot voor hem was geworden. Of dat het huis meer geschikt was voor jongere mensen die geen problemen hadden met de trap. Of dat hij van plan was om een ander huis te kopen of te bouwen en dat hij een ander

33

soort inrichting wilde hebben. Of dat hij met werken wilde stoppen en dat dit grote huis te duur voor hem was geworden.

Maar dat was allemaal niet de ware reden. In plaats van antwoord te geven keek hij de man aan.

'Waarom wilt u het kopen?' vroeg hij in plaats daarvan.

Hij vroeg het op een vriendelijke toon, en de man wisselde een korte blik met zijn vrouw. Ze was een aantrekkelijke, tengere brunette die, net als haar man, ergens midden in de dertig was. De man was ook knap – hij was lang en stond met de kaarsrechte rug van een zelfverzekerd iemand die het al ver had geschopt in het leven. Even leek het alsof ze niet begrepen wat hij precies bedoelde.

'Het is het soort huis waar we altijd van hebben gedroomd,' antwoordde de vrouw ten slotte.

Paul knikte. Ja, dacht hij, ik kan me nog herinneren dat ik dat ook zo voelde. Tot voor zes maanden, dan.

'In dat geval hoop ik dat u er gelukkig zult zijn,' zei hij.

Het volgende moment draaide het stel zich om en ging weg. Paul keek ze na terwijl ze naar hun auto liepen. Hij zwaaide nog even alvorens de deur te sluiten, maar toen hij weer binnen was kreeg hij ineens een brok in zijn keel. Bij het nakijken van de man, realiseerde hij zich, had hij ongewild moeten denken aan hoe hij zichzelf indertijd had gevoeld toen hij in de spiegel keek. En zonder dat hij begreep waarom, realiseerde hij zich opeens dat hij tranen in de ogen had.

De snelweg liep door Smithfield, Goldsboro, en Kinston – gehuchten die door kilometers katoen- en tabaksvelden van elkaar werden gescheiden. Hier, in deze streek was hij opgegroeid, op een kleine boerderij even buiten Williamston, en hij kende het hier. Hij passeerde gammele tabaksschuren en boerderijen; hij zag bollen mistletoe in de hoge kale takken van de eiken langs de weg. Rijen pijnbomen scheidden het ene bedrijf van het andere.

In New Bern, een schilderachtig stadje op het punt waar de rivieren de Neuse en de Trent samenkwamen, stopte hij om wat te eten. Hij ging een delicatessenwinkel in het historische centrum binnen en kocht er een broodje en een kop koffie, en hoewel het een kille middag was, vond hij bij het Sheraton-hotel een bankje met uitzicht op de jachthaven. Motorjachten en zeilschepen lagen aan de steigers te dobberen in de bries.

Pauls adem vormde kleine wolkjes. Toen hij zijn broodje op had, trok hij het dekseltje van zijn koffie. Terwijl hij keek naar de damp die er van afkwam, dacht hij na over de reeks gebeurtenissen die hem naar dit punt in zijn leven hadden gevoerd.

Het was een lange weg geweest, peinsde hij. Zijn moeder was bij zijn geboorte overleden, en als de enige zoon van een vader die boer was, had hij geen gemakkelijke jeugd gehad. In plaats van met zijn vrienden te kunnen honkballen of vissen, had hij zijn vader twaalf uur per dag in de brandende zon op het veld moeten helpen met het verbouwen van de tabak. Net als alle kinderen had hij soms geklaagd, maar over het algemeen had hij zijn lot geaccepteerd. Hij wist dat zijn vader zijn hulp nodig had, en zijn vader was een goed mens. Hij was geduldig en vriendelijk, maar net als zijn eigen vader vóór hem, praatte hij alleen maar wanneer daar een reden toe was. Meestal was het in hun bescheiden huis even stil als in een kerk. Afgezien van de verplichte vragen van hoe het op school was geweest en of er nog iets bijzonders op het veld was gebeurd, werd er aan tafel niet gesproken, en kwam het enige geluid van het tikken van hun bestek tegen de borden. Na de afwas trok zijn vader zich terug in de zitkamer om artikelen over landbouw te bestuderen, terwijl Paul zijn boeken las. Ze hadden geen televisie, en de radio stond alleen maar aan wanneer ze het weerbericht wilden horen.

Ze waren arm, en hoewel Paul altijd voldoende te eten had gekregen en hij het nooit koud had gehad, schaamde hij zich soms voor de kleren die hij droeg en over het feit dat hij nooit genoeg geld had om, zoals zijn vrienden, naar de drugstore te gaan om een ijsje of een flesje cola te kopen. Zo af en toe hoorde hij kwetsende opmerkingen daarover, maar in plaats van van zich af te bijten, stortte hij zich met hart en ziel op zijn studie als om te bewijzen dat het er niet toe deed. Jaar op jaar bracht hij de mooiste cijfers mee naar huis, en hoewel zijn vader trots was op zijn prestaties, straalde hij, wanneer hij Pauls rapporten doornam, altijd een zekere melancholie uit alsof hij wist dat er een dag zou komen waarop zijn zoon de boerderij zou verlaten en nooit terug zou komen.

De gewoonte van hard werken die Paul op het veld was

bijgebracht, strekte zich ook uit naar andere gebieden van zijn leven. Niet alleen haalde hij bij het eindexamen de hoogste cijfers van zijn klas, hij was bovendien een uitmuntend sportman. Toen hij in zijn eerste studiejaar niet voor het footballteam geselecteerd werd, raadde de sportleraar hem aan veldlopen eens te proberen. Nadat hem eenmaal duidelijk was geworden dat niet genetica maar geleverde inspanning het verschil tussen winnaars en verliezers uitmaakte, begon hij 's ochtends om vijf uur op te staan om per dag twee keer te kunnen trainen. En met succes, want hij wist aan de Duke University een volledige atletiekbeurs in de wacht te slepen. Gedurende vier jaar was hij hun meest succesvolle veldloper en haalde hij bovendien de beste cijfers van zijn jaar. In de vier jaar die zijn studie daar in beslag nam, liet hij zijn training één keer verslappen, en dat moest hij bijna met zijn leven bekopen, maar daarna sloeg hij geen training meer over. Hij studeerde summa cum laude af in scheikunde en biologie. In datzelfde jaar werd hij ook een 'all-American' door bij een nationale veldloop als derde te eindigen.

Na afloop van de wedstrijd gaf hij zijn medaille aan zijn vader en zei dat hij het allemaal voor hem had gedaan.

'Niet waar,' zei zijn vader. 'Je hebt het voor jezelf gedaan. En ik kan alleen maar hopen dat je ergens naar toe rent, en niet dat je ergens voor op de vlucht bent.'

Die avond lag Paul in zijn bed naar het plafond te staren, terwijl hij zich afvroeg wat zijn vader had bedoeld. Voor zijn gevoel rende hij ergens naar toe. Een beter leven. Financiële zekerheid. Een manier om zijn vader te helpen. Respect. Een zorgeloos bestaan. Geluk.

In februari van zijn laatste jaar, nadat hij te horen had gekregen dat hij was toegelaten op de medische faculteit van de Vanderbilt Universiteit, zocht hij zijn vader op om hem het goede nieuws te vertellen. Zijn vader zei dat hij blij voor hem was. Maar later die avond, toen zijn vader allang had moeten slapen, keek Paul naar buiten en zag hij hem staan – een eenzame gestalte bij het hek die uit-keek over de velden.

Drie weken later was zijn vader aan het ploegen toen hij aan een hartaanval overleed.

Paul was kapot van het verlies, maar in plaats van vrij-af te nemen om de dood van zijn vader te verwerken, on-derdrukte hij zijn herinneringen door nóg harder te stu-deren. Hij schreef zich vroegtijdig bij de universiteit in en volgde drie zomercursussen om alvast een voorsprong op te bouwen voor zijn studie, waarna hij er in de herfst, met toch al een vol rooster, nog eens extra colleges bij nam. Daarna verwerd zijn leven tot een wazige herinnering. Hij ging naar college, deed zijn labproeven en studeerde tot in de kleine uurtjes. Hij rende zeven kilometer per dag en nam altijd de tijd op, om die elk jaar te kunnen verbe-teren. Hij meed nachtclubs en bars; hij negeerde de sport-prestaties van de universiteitsteams. In een opwelling kocht hij een televisie, die hij echter nooit uit de doos haalde en een jaar later weer verkocht. Hoewel hij ten op-zichte van de meisjes nogal verlegen was, werd hij voor-gesteld aan Martha, een lieve blondine uit Georgia die op zijn faculteit op de bibliotheek werkte, en toen hij er nooit toe kwam om haar mee uit te vragen, besloot ze dat uiteindelijk zelf maar te doen. Ze maakte zich zorgen over de manier waarop hij zichzelf met alles tot het uiterste dreef, maar zei desondanks ja toen hij haar ten huwelijk vroeg. Tien maanden later liepen ze naar het altaar. Met de eindtentamens in zicht was er geen tijd voor een huwelijksreis, maar hij beloofde haar dat ze, zodra het vakantie was, ergens naar toe zouden gaan. Daar was het nooit van gekomen. Mark, hun zoon, werd een jaar later geboren, en in de eerste twee jaar van Marks leven had Paul niet éénmaal zijn luier verschoond of het jongetje in slaap gewiegd.

In plaats daarvan zat hij aan de keukentafel te studeren, waarbij hij naar schema's van het menselijk lichaam tuurde, ingewikkelde scheikundige problemen oploste en aantekeningen maakte, en voor het ene na het andere tentamen de hoogste cijfers haalde. Drie jaar later studeerde hij af met de beste cijfers van zijn jaar, waarna hij met vrouw en kind naar Baltimore verhuisde om daar, in het Johns Hopkins-ziekenhuis, zijn opleiding chirurgie te doen.

Inmiddels wist hij dat de chirurgie zijn roeping was. Voor de meeste specialismen was een flinke dosis intermenselijk contact en het vasthouden van handen vereist – Paul blonk in geen van tweeën uit. Maar chirurgie was anders; het ging de patiënten in de eerste plaats om wat hij presteerde en niet om zijn communicatieve vaardigheden, en Paul was niet alleen zelfverzekerd genoeg om hen vóór de operatie op hun gemak te stellen, maar hij wist bovendien elke ingreep met succes te bekronen. Hij genoot van het werk. In de laatste twee jaar van zijn opleiding werkte hij negentig uur per week en sliep hij 's nachts nooit langer dan vier uur, maar vreemd genoeg was hij in het geheel niet moe.

Na zijn basisopleiding volgde hij nog een aanvullende opleiding schedel- en gezichtschirurgie, en verhuisde hij met zijn gezin naar Raleigh waar hij zich inkocht in een chirurgenpraktijk, juist in de tijd dat het stadje een enorme groei doormaakte. Hij en zijn collega waren daar de enige twee chirurgen op hun gebied, en hun praktijk groeide snel. Op zijn vierendertigste had hij al zijn studiekosten terugbetaald. Op zijn zesendertigste was hij met elk belangrijk ziekenhuis in de omgeving geassocieerd en deed hij het grootste gedeelte van zijn werk aan het Medisch Centrum van de Universiteit van North Carolina. Daar nam hij, met artsen van de Mayo-kliniek, deel aan een klinisch onderzoek naar neurofibromen. Een jaar later verscheen er in het *New England Journal of Medicine* een artikel van hem over het gespleten gehemelte. Vier maanden later volgde er een artikel over hemangiomen, waarin hij op dat gebied nieuwe aanwijzingen gaf voor chirurgische ingrepen bij pasgeborenen. Zijn reputatie groeide snel, en na een succesvolle operatie van de dochter van senator Norton, die bij een auto-ongeluk verminkt was geraakt, haalde hij de voorpagina van *The Wall Street Journal*.

Afgezien van herstellingswerk, was hij een van de eerste chirurgen in North Carolina die zijn werkzaamheden uitbreidden met plastische chirurgie, en hij was daarmee precies op tijd voor de juist beginnende populariteit van de schoonheidsoperaties. Zijn praktijk maakte een explosieve groei door, zijn inkomen verveelvoudigde zich en hij begon dingen te verzamelen. Hij kocht een BMW, en vervolgens een Mercedes en een Porsche, en toen nog een Mercedes. Hij en Martha bouwden het huis van hun dromen. Hij kocht aandelen en effecten in een tiental verschillende fondsen. Toen hij zich realiseerde dat hij alle gecompliceerde wendingen van de financiële markt niet persoonlijk bij kon houden, nam hij iemand in dienst die dat voor hem deed. Vanaf dat moment verdubbelde zijn vermogen zich om de vier jaar. En toen, toen hij meer had dan hij voor de rest van zijn leven nodig zou kunnen hebben, begon het zich te verdrievoudigen.

Maar hij hield niet op met werken. Hij opereerde niet alleen gedurende de week, maar ook op zaterdagen. De zondagmiddagen bracht hij door op zijn praktijk. Tegen de tijd dat hij vijfenveertig was, kon zijn collega zijn tempo niet langer bijhouden, en sloot hij zich aan bij een andere praktijk.

In de eerste paar jaar na Marks geboorte had Martha het vaak over een tweede kind. Na verloop van tijd begon ze er niet meer over. Hoewel ze hem dwong om vakanties te nemen, deed hij dat met de grootste tegenzin, en uiteindelijk liet ze Paul thuis en ging ze alleen met Mark naar haar ouders. Paul vond de tijd om bij een paar van de meest belangrijke gebeurtenissen in Marks leven aanwezig te zijn – dingen die één of twee keer per jaar plaats-vonden – maar voor het overige miste hij zo goed als alles.

Hij overtuigde zichzelf ervan dat hij voor zijn gezin werkte. Of voor Martha, met wie hij het in de eerste jaren in financieel opzicht zo moeilijk had gehad. Of ter nage-dachtenis van zijn vader. Of voor Marks toekomst. Maar diep in zijn hart wist hij dat hij het voor niemand anders deed dan voor zichzelf.

Als hij nu moest zeggen waar hij het meeste spijt van had, dan was het zijn zoon. Aangezien Paul in Marks leven de grote afwezige was geweest, was zijn vader aan-genaam verrast geweest toen Mark verklaarde dat hij arts wilde worden. Nadat Mark op de medische faculteit was toegelaten, vertelde Paul het aan iedereen in het zieken-huis die het maar horen wilde – zo blij was hij met het idee dat zijn zoon besloten had in zijn voetsporen te tre-den. Eindelijk, dacht hij, zouden ze samen dingen kunnen doen, en hij herinnerde zich hoe hij Mark had uitgeno-digd voor de lunch in de hoop hem ervan te overtuigen dat hij ook chirurg moest worden. Mark had alleen zijn hoofd maar geschud.

'Dat is jouw leven,' had Mark gezegd, 'en dat is een leven dat me in het geheel niet interesseert. Ik wil je best bekennen dat ik medelijden met je heb.'

De woorden troffen Paul diep, en het gesprek ontaard-de in ruzie. Mark maakte hem bittere verwijten, Paul werd woedend en ten slotte stormde Mark het restaurant uit. Paul weigerde in de daaropvolgende weken met hem te praten, en Mark deed geen poging om het weer bij te leggen. Weken werden maanden, en maanden werden jaren. Marks liefdevolle band met zijn moeder bleef onveranderd, maar hij kwam niet thuis wanneer hij wist dat zijn vader er was.

Paul verwerkte de vervreemding van zijn zoon op de enige hem bekende manier. Hij bleef even hard werken, bleef per dag zeven kilometer hardlopen, en 's ochtends bestudeerde hij de financiële pagina's van de krant. Maar hij zag het verdriet in Martha's ogen, en er waren momenten – meestal 's avonds laat – waarop hij zich afvroeg wat hij zou kunnen doen om het weer goed te maken met zijn zoon. Aan de ene kant zou hij de telefoon willen pakken en hem bellen, maar uiteindelijk ontbrak hem de energie daartoe. Hij wist van Martha dat Mark zich zonder hem uitstekend kon redden. In plaats van chirurg werd Mark huisarts, en nadat hij een aantal maanden praktijkervaring had opgedaan, vertrok hij naar het buitenland om als vrijwilliger bij een internationale hulporganisatie te gaan werken. Hoewel Paul dat heel nobel van hem vond, ontkwam hij niet aan het gevoel dat hij dat alleen maar deed om zo ver mogelijk uit zijn vaders buurt te kunnen zijn.

Twee weken na Marks vertrek vertelde Martha hem dat ze wilde scheiden.

Marks woorden hadden hem indertijd woedend gemaakt, maar die van Martha maakten hem sprakeloos. Hij probeerde haar op andere gedachten te brengen, maar ze liet hem niet eens uitpraten.

'Zul je me echt missen?' vroeg ze. 'We kennen elkaar nog maar amper.'

'Ik kan veranderen,' zei hij.

Martha glimlachte. 'Ja, dat weet ik,' zei ze. 'En dat zou je ook moeten doen. Maar je zou het moeten doen omdat je dat werkelijk zelf wilt en niet omdat je dénkt dat je het wilt.'

In de weken daarna voelde Paul zich verward en onzeker. Een maand later voerde hij een routineoperatie uit op de tweeënzestigjarige Jill Torrelson uit Rodanthe, die kort na de ingreep overleed.

Hij wist dat het de combinatie van die verschrikkelijke gebeurtenis en alles wat eraan vooraf was gegaan, was geweest, die ervoor had gezorgd dat hij zich nu op dit punt in zijn leven bevond.

———

Paul dronk zijn koffie op, en reed verder. Drie kwartier later was hij bij Morehead City. Hij reed de brug over naar Beaufort, volgde de afslagen, en zette koers naar het oosten, naar Cedar Island.

Het laagland langs de kust straalde een vredige schoonheid uit, en hij nam gas terug om ervan te kunnen genieten. Het leven, wist hij, was anders hier. Onder het rijden verbaasde hij zich over de mensen die hij tegenkwam en die naar hem zwaaiden, en over het groepje oudere mannen die voor het huisje van de benzinepomp op het bankje zaten en schijnbaar niets beters te doen hadden dan naar de passerende auto's te kijken.

Halverwege de middag nam hij het veer naar Ocracoke, een dorp op de meest zuidelijke punt van de Outer Banks. Er waren maar vier andere auto's op het veer, en tijdens de twee uur durende overtocht maakte hij een praatje met enkele van zijn medepassagiers. Hij bracht de nacht door in een motel in Ocracoke, werd wakker toen de zon als een witte bal van licht uit het water verrees, nam een vroeg ontbijt en besteedde de daaropvolgende paar uur aan een wandeling door het rustieke plaatsje waar de mensen hun huizen klaarmaakten voor de voorspelde storm.

Toen hij ten slotte zover was, zette hij zijn reistassen weer in de auto en reed verder in noordelijke richting, naar de plaats die zijn reisdoel was.

De Outer Banks, dacht hij, was een bijzondere en mysterieuze plek. Het landschap, met zijn glooiende, met toeven helmgras besprenkelde duinen, zijn zijwaarts groeiende zee-eiken en de onophoudelijke bries van zee, was uniek. De eilanden hadden ooit eens aan het vasteland vastgezeten, maar na de laatste ijstijd had de zee het gebied naar het westen toe overspoeld en was de Pamlico Sound ontstaan. Pas in de loop van de jaren vijftig van de afgelopen eeuw waren er op deze eilanden snelwegen aangelegd, en daarvóór hadden de mensen, om bij de achter de duinen gelegen huizen te kunnen komen, over het strand moeten rijden. Dat laatste, zag hij aan de wielsporen die langs de kustlijn liepen, was kennelijk nog steeds de gewoonte.

Hier en daar was een stuk blauwe lucht te zien, en hoewel de harde wind de donkere wolken naar de horizon

45

joeg, brak zo nu en dan de zon even door en lichtte de wereld even felwit op. Het beuken van de oceaan was boven het ronken van de motor uit te horen.

In deze tijd van het jaar lagen de Outer Banks er verlaten bij, en hij had de weg voor zich alleen. In de eenzaamheid keerden zijn gedachten terug naar Martha.

De uiteindelijke scheiding was pas een paar maanden geleden uitgesproken, en ze waren als vrienden uit elkaar gegaan. Hij wist dat ze iemand anders had, en vermoedde zelfs dat ze die ander al gehad had toen ze nog getrouwd waren, maar het was niet belangrijk. Tegenwoordig leek niets belangrijk meer.

Paul herinnerde zich hoe hij, na haar vertrek, minder uren was gaan werken omdat hij dacht dat hij tijd nodig had om dingen te regelen. Maar een aantal maanden later ging hij, in plaats van zijn oude werktijden weer op te nemen, juist nog minder werken. Hij bleef regelmatig hardlopen, maar besefte dat de financiële pagina's hem niet langer konden boeien. Voor zolang hij zich kon herinneren had hij aan zes uur slapen per nacht voldoende gehad, maar vreemd genoeg had hij, hoe minder hij ging werken, des te meer uren slaap nodig om zich uitgerust te kunnen voelen.

En er waren ook lichamelijke veranderingen. Voor het eerst in vele jaren voelde Paul hoe de spanning uit zijn schouderspieren trok. De lijnen in zijn gezicht, die in de loop der jaren steeds dieper waren geworden, bleven opvallend, maar de intensiteit van zijn blik die hem voorheen bij het kijken in de spiegel was opgevallen, had plaatsgemaakt voor een zekere vermoeide melancholie. En hoewel het waarschijnlijk zijn verbeelding maar was, leek het alsof de teruglopende grens van zijn grijzende haar een rustpunt had bereikt.

Er was een tijd geweest waarin hij gedacht had dat hij alles had. Hij had gejacht en gejaagd, en hij had de hoogste toppen van het succes bereikt. Nu wist hij evenwel dat hij het advies van zijn vader al die tijd in de wind had geslagen. Zijn leven lang was hij voor iets op de vlucht geweest in plaats van ergens naar toe te gaan, en in zijn hart wist hij dat alles voor niets was geweest.

Hij was vierenvijftig en hij was moederziel alleen in de wereld. En terwijl hij naar het verlaten asfalt staarde dat zich voor hem ontrolde, vroeg hij zich ongewild af waar hij in vredesnaam zo zijn best voor had gedaan.

In het besef dat hij het doel van zijn tocht bijna was genaderd, begon hij zich in te stellen op het laatste onderdeel van zijn reis. Hij logeerde in een eenvoudig hotelletje niet ver van de snelweg, en toen hij de grens van Rodanthe gepasseerd was, nam hij even de tijd om de omgeving op zich in te laten werken. Het centrum, als je het zo kon noemen, bestond uit een paar winkels waar, zo te zien, alles te krijgen was. De grootste winkel verkocht ijzerwaren, visartikelen en kruidenierswaren; het benzinestation beschikte over een werkplaats, en er werden banden en auto-onderdelen verkocht.

Hij hoefde niet naar de weg te vragen, en een minuut later reed hij van de snelweg een kort grindpad op terwijl hij bedacht dat het kleine hotel aanzienlijk meer charme had dan hij verwacht had. Het was een al wat ouder, wit geschilderd huis in Victoriaanse stijl, met zwarte luiken en een gastvrij ogende veranda aan de voorkant. Aan de reling hingen bloembakken met bloeiende viooltjes, en er wapperde een Amerikaanse vlag.

Hij haalde zijn reistassen uit de auto, hees de riemen ervan over zijn schouder, liep naar de ingang en ging naar binnen. De houten vloer, die was uitgesleten van ontelbare zanderige voeten, leek in de verste verte niet op het glanzende parket in zijn gewezen huis. Links zag hij een gezellige, lichte zitkamer met twee grote vensters aan weerszijden van de open haard. Hij rook verse koffie en zag dat er een schaaltje met koekjes voor hem klaarstond. Hij nam aan dat hij de eigenaresse ergens aan de rechterkant moest kunnen vinden, en ging op zoek.

Er was een kleine balie waar hij zich in zou moeten schrijven, maar er stond niemand achter. In de hoek hingen de sleutels van de kamers, en de sleutelringen waren voorzien van miniatuurvuurtorentjes. Hij liep naar de balie en drukte op de bel.

Hij wachtte en belde nog eens, en nu hoorde hij, ergens achter in het huis, een geluid dat op een gedempte snik leek. Hij zette zijn tassen neer, liep om de balie heen en duwde de klapdeurtjes open die toegang gaven tot de keuken. Op het aanrecht stonden drie onuitgepakte plastic boodschappentassen.

De achterdeur stond open en leek hem te wenken, en de plankenvloer van de veranda kraakte onder zijn voeten toen hij naar buiten stapte. Aan de linkerkant zag hij twee schommelstoelen met een tafeltje ertussen; en rechts ontwaarde hij de bron van het geluid.

Ze stond in de hoek en keek uit over zee. Net als hij had ze een verschoten spijkerbroek aan, maar ze droeg er een dikke coltrui op. Haar lichtbruine haren waren naar achteren gespeld, en een paar losse pieken dansten op de wind. Hij keek naar haar terwijl ze zich omdraaide omdat ze was geschrokken van het geluid van zijn laarzen op de veranda. Achter haar vloog een groepje sterntjes op, en op de reling stond een kop koffie.

Paul keek weg, maar moest even later opnieuw naar haar kijken. Ondanks het feit dat ze huilde kon hij zien dat ze knap was, maar aan de verdrietige manier waarop ze haar gewicht verplaatste zag hij dat ze zich daar niet van bewust was. En dat, dacht hij altijd wanneer hij zich dit moment herinnerde, had haar er alleen maar nóg aantrekkelijker op gemaakt.

Vier

————⋙⋘————

Amanda keek haar moeder over tafel heen aan.

Adrienne zweeg en keek weer naar buiten. Het regende niet meer; de hemel achter het glas was vol schaduwen. En in de stilte hoorde Amanda het monotone zoemen van de koelkastmotor.

'Waarom vertel je me dit, mam?'

'Omdat ik vind dat je het moet weten.'

'Maar waarom? Ik bedoel, wie was hij?'

In plaats van antwoord te geven pakte Adrienne de fles wijn en maakte hem met doelbewuste gebaren open. Nadat ze zichzelf een glas had ingeschonken, deed ze hetzelfde voor haar dochter.

'Hier zou je wel eens behoefte aan kunnen hebben,' zei ze.

'Mam?'

Adrienne schoof het glas over tafel.

'Kun je je nog herinneren dat ik naar Rodanthe ben ge-weest? Toen Jean had gevraagd of ik op het hotel wilde passen?'

Het duurde even voor Amanda het weer wist.

'Toen ik nog op de middelbare school zat, bedoel je?'

'Ja.'

Toen Adrienne verderging met haar verhaal, pakte Amanda haar glas terwijl ze zich afvroeg wat er zou komen.

Vijf

—◆—

Adrienne stond op een sombere donderdagmiddag bij de reling van de veranda aan de achterkant van het hotel. Ze warmde haar handen aan de mok met koffie en keek uit over zee terwijl ze vaststelde dat de golven hoger waren dan een uur geleden. Het water had de roestige kleur van een oud oorlogsschip gekregen, en ze zag witte schuimkoppen zo ver als het oog reikte.

Aan de ene kant had ze er spijt van dat ze was gekomen. Ze nam waar voor een vriendin, en ze had gehoopt dat het haar goed zou doen om er een paar dagen tussenuit te zijn, maar intussen vreesde ze dat het een vergissing was geweest. Om te beginnen werkte het weer niet mee – de radio zond de hele dag al waarschuwingen uit voor de ophanden zijnde noordooststorm – en ze kon niet zeggen dat ze zich verheugde op een mogelijke stroomuitval of het feit dat ze gedwongen zou zijn om een paar dagen binnen te zitten. Maar afgezien daarvan, en afgezien van de dreigende lucht, riep het strand herinneringen bij haar op aan talloze gezinsvakanties gevuld met intens gelukkige dagen waarin ze volkomen tevreden was geweest met zichzelf en de wereld.

Lange tijd had ze zichzelf beschouwd als een gelukkig mens. Tijdens haar studie had ze Jack – een eerstejaars student rechten – in de bibliotheek leren kennen. In die tijd golden ze als het volmaakte stel – hij was lang en dun met zwarte krullen; zij was een brunette met blauwe ogen, met een paar kilootjes minder dan nu. Hun trouwfoto had altijd op de meest opvallende plaats in de zitkamer, boven de open haard gehangen. Toen ze achtentwintig was hadden ze hun eerste kind gekregen, en in de daaropvolgende drie jaar waren er nog twee bij gekomen. Net als vele vrouwen kostte het haar veel moeite om alle kilo's die ze was aangekomen weer te verliezen, maar ze deed wat ze kon, en hoewel ze nooit meer zo slank werd als ze geweest was, vond ze van zichzelf dat ze, in vergelijking met andere vrouwen met kinderen, er nog lang zo gek niet uitzag.

En ze was gelukkig. Ze vond het heerlijk om te koken, ze hield het huis schoon, ze gingen met het hele gezin naar de kerk en ze deed haar best om ervoor te zorgen dat zij en Jack een zo actief mogelijk sociaal leven leidden. Toen de kinderen de leeftijd kregen dat ze naar school moesten, gaf ze zich op voor vrijwilligerswerk in de klas, woonde ze de vergaderingen van de oudercommissie bij, zette ze zich in voor hun zondagsschool, en stond ze altijd als eerste klaar om schoolreisjes te begeleiden. Ze woonde alle piano-uitvoeringen, toneelstukken en sportwedstrijden bij, ze leerde haar kinderen zwemmen en ze schaterde het uit om hun gezicht toen ze voor de eerste keer door de poort van Disney World liepen. Voor haar veertigste verjaardag had Jack op de country club een verrassingsparty voor haar georganiseerd, en er waren bijna tweehonderd mensen. Het was een heerlijke avond waarop veel gelachen werd en iedereen in opperbeste stemming was, maar toen ze na afloop thuiskwamen en naar bed gingen, viel het haar op dat Jack niet naar haar keek terwijl ze zich uitkleedde. In plaats daarvan deed hij het licht uit, en hoewel ze wist dat hij onmogelijk zo snel in slaap gevallen kon zijn, deed hij alsof dat wel zo was.

Bij nader inzien had ze kunnen weten dat er iets niet klopte, maar met drie kinderen en een man die het opvoeden van het drietal volledig aan haar overliet, had ze het te druk om er lang bij stil te staan. En daarbij, ze was niet zo naïef om te denken dat hun hartstocht altijd onverminderd vurig zou blijven. Ze was al lang genoeg getrouwd om beter te weten. Ze nam aan dat de passie, zoals het altijd was gegaan, vanzelf wel weer terug zou komen, en ze maakte zich er geen zorgen om. Maar het kwam niet terug. Toen ze eenenveertig was, begon ze zich zorgen om hun huwelijk te maken, en ze was al een paar keer naar de boekhandel gegaan om te zien of ze, op de afdeling zelfhulpboeken, misschien wat zou kunnen vinden met bruikbaar advies voor het verbeteren van de relatie. Tegelijker-

tijd betrapte ze zich er zo nu en dan op dat ze zich verheugde op de toekomst wanneer alles wat minder hectisch
zou zijn. Ze probeerde zich voor te stellen hoe het was om
grootmoeder te zijn, en wat zij en Jack zouden doen zodra
ze meer tijd zouden hebben om als stel opnieuw van elkaar te genieten. Misschien dat het dan, dacht ze, weer zo
zou worden als het ooit eens was geweest.

Het was in die tijd dat ze Jack met Linda Gaston zag
lunchen. Linda, wist ze, werkte voor Jacks kantoor, op
hun filiaal in Greensboro. Hoewel Linda gespecialiseerd
was in onroerend goed en Jack zich bezighield met pro-
cederen, wist Adrienne dat hun zaken elkaar soms over-
lapten en dat ze wel eens samenwerkten. Adrienne was
dus niet verbaasd toen ze ze samen zag eten. Ze bleef
voor het raam staan en glimlachte zelfs nog naar hen.
Hoewel Linda geen echte vriendin was, was ze meerdere
keren bij hen thuis geweest. Ze hadden het, ondanks het
feit dat Linda tien jaar jonger en ongetrouwd was, altijd
goed kunnen vinden samen. Pas toen ze het restaurant
binnen was gegaan, zag ze hoe teder ze naar elkaar keken. En op hetzelfde moment wist ze ineens ook heel
zeker dat ze onder tafel elkaars hand vasthielden.

Lange seconden stond Adrienne als verstijfd, maar in
plaats van hen ermee te confronteren, draaide ze zich om
en haastte ze zich, vóór ze haar zouden zien, snel weer
naar buiten.

Ze kon het niet accepteren, en die avond kookte ze
Jacks lievelingskostje en sprak ze met geen woord over
wat ze had gezien. Ze deed alsof het niet gebeurd was, en

na verloop van tijd slaagde ze erin zichzelf ervan te overtuigen dat ze zich had vergist. Misschien ging Linda wel door een moeilijke fase in haar leven, en had Jack haar willen troosten. Zo was Jack nu eenmaal. Of misschien, dacht ze, was het alleen maar een kortstondige fantasie geweest waar geen van beiden aan had toegegeven – een avontuurtje in de geest, en verder niet.

Maar dat was het niet. Het ging steeds slechter tussen hen, en enkele maanden later zei Jack dat hij wilde scheiden. Hij hield van Linda, zei hij. Hij had dit niet zo gewild, en hij hoopte dat ze het zou begrijpen. Dat deed ze niet en dat zei ze ook, maar toen ze tweeënveertig was verliet Jack het huis.

Nu, ruim drie jaar later, was Jack gewoon verdergegaan met zijn leven, maar Adrienne had dat niet gekund. Hoewel ze de gedeelde voogdij hadden, was dat alleen maar een formaliteit. Jack woonde in het drie uur verder gelegen Greensboro. Het was een lange rit, en dat betekende dat de kinderen vrijwel altijd bij haar waren. Op de meeste momenten was ze daar dankbaar voor, maar al met al kon ze niet zeggen dat ze het altijd even gemakkelijk vond om ze alleen op te voeden. 's Avonds viel ze vaak doodmoe in bed maar kon ze niet slapen omdat ze geplaagd werd door een niet-aflatende stroom van vragen. En hoewel ze het nooit aan iemand vertelde, vroeg ze zich wel eens af wat ze zou zeggen als Jack opeens op de stoep zou staan en vroeg of hij weer terug mocht komen, en dan wist ze diep in haar hart dat ze daar waarschijnlijk ja op zou zeggen.

Dat kon ze niet uitstaan van zichzelf, maar wat kon ze eraan doen?

Ze wilde dit leven niet; ze had er niet om gevraagd en ze had het niet zien aankomen. En ze had het ook niet verdiend, vond ze. Ze had zich altijd keurig aan de regels van het spel gehouden. Achttien jaar lang was ze haar man trouw geweest. Ze had die keren dat hij te veel had gedronken door de vingers gezien, had hem koffie gebracht wanneer hij tot laat op de avond moest doorwerken, en ze had nooit geklaagd wanneer hij in het weekend ging golfen in plaats van iets met de kinderen te doen.

Ging het hem uitsluitend om de seks? Linda was jonger en knapper, maar was het echt zo belangrijk voor hem dat hij er al het andere in zijn leven voor weg wilde gooien? Betekenden de kinderen dan helemaal niets voor hem? Of zij? Hadden die achttien jaar van hun huwelijk dan helemaal geen waarde voor hem? En trouwens, hij kon niet zeggen dat ze geen interesse meer had gehad – gedurende de laatste paar jaar van hun huwelijk was zíj altijd degene geweest die hun liefdesspel begon. En als hij dan zo nodig moest, waarom had hij er dan niet wat aan gedaan?

Of was het, vroeg ze zich af, dat hij haar saai was gaan vinden? Toegegeven, na al die jaren samen waren er niet veel nieuwe verhalen meer te vertellen. In de loop der tijd was alles meer dan eens en in verschillende versies de revue gepasseerd, en beiden kenden elkaars verhalen uit het hoofd. In plaats daarvan deden ze wat de meeste stellen deden: ze vroeg hem hoe het op kantoor was geweest, en hij vroeg naar de kinderen, en dan spraken ze over iets dat de kinderen of iemand anders van de familie had gedaan, of over gebeurtenissen in de stad. Er waren momenten waarop zelfs zij wou dat er interessantere dingen waren om over te praten, maar besefte hij dan niet dat het over een paar jaar met Linda precies zo zou zijn?

Het was niet eerlijk. Zelfs haar vriendinnen waren het met haar eens, en ze nam aan dat dat betekende dat ze achter haar stonden. En misschien was dat ook wel zo, dacht ze, maar dat lieten ze dan wel op een vreemde manier blijken. Een maand geleden was ze naar een kerstparty gegaan van een stel dat ze al jaren kende, en wie waren daar ook? Jack en Linda. Zo ging het nu eenmaal in een klein stadje in het zuiden – de mensen vergaven elkaar dat soort dingen – maar Adrienne kon het niet helpen dat ze zich verraden voelde.

En afgezien van de pijn en het verraad, voelde ze zich eenzaam. Sinds Jack het huis uit was gegaan, was ze niet één avondje gezellig met iemand uit geweest. Rocky Mount liep nu niet bepaald over van de vrijgezellen van in de veertig, en de vrijgezellen díe er waren, waren niet automatisch haar type. De meesten van hen hadden kinderen of andere van hen afhankelijke familieleden, en ze wilde er niet nog meer zorgen bij hebben dan ze al had. In het begin had ze zich voorgenomen om selectief te zijn, en toen ze dacht dat ze toe was aan het zoeken naar een nieuwe partner, maakte ze in gedachten een lijstje van eigenschappen die ze in een man belangrijk vond. Ze zocht iemand die intelligent, vriendelijk en aantrekkelijk was, maar meer nog dan dat wilde ze iemand die kon accepteren dat ze moeder van drie pubers was. Ze vermoedde dat dat wel eens een probleem zou kunnen zijn, maar aangezien haar kinderen behoorlijk zelfstandig waren, kon ze zich toch niet voorstellen dat de meeste mannen daarover zouden vallen.

Maar dat bleek een enorme vergissing.

In de afgelopen drie jaar had niemand haar mee uit gevraagd, en sinds kort was ze zover dat ze er bijna van overtuigd was dat dat ook nooit meer zou gebeuren. Jack had plezier in het leven, Jack las de ochtendkrant in het bijzijn van zijn nieuwe vlam, maar voor haar zaten dat soort dingen er gewoon niet in.

En daarnaast had ze natuurlijk ook nog financiële zorgen.

Jack had haar het huis gegeven en hij betaalde de door de rechter bepaalde alimentatie altijd keurig op tijd, maar het was niet voldoende om van rond te kunnen komen. Hoewel Jack, toen ze nog getrouwd waren, een heel behoorlijk salaris had verdiend, hadden ze nooit iets opzijgelegd. Net als zovele stellen hadden ze jarenlang gevangengezeten in de eindeloze cyclus van het verdiende geld zo veel mogelijk uitgeven. Ze reden altijd in nieuwe auto's en namen dure vakanties; toen de televisies met de grote schermen op de markt kwamen, waren ze de eersten in de buurt die er eentje in huis haalden. Jack was degene die zich bezighield met het betalen van de rekenin-

gen, en ze had altijd aangenomen dat hij iets voor de toekomst had geregeld. Toen bleek dat hij dat niet had gedaan, was ze gedwongen geweest om een parttime baan
in de plaatselijke bibliotheek te nemen. Hoewel ze niet
echt bang was voor haar kinderen, maakte ze zich wel
zorgen om haar vader.

Een jaar na de scheiding kreeg haar vader een beroerte,
en daarna kreeg hij er in korte tijd nog eens drie achter
elkaar. Intussen had hij dag en nacht verzorging nodig.
Ze had een uitstekend verpleeghuis voor hem gevonden,
maar als enig kind was het aan haar om ervoor te betalen. Ze had van het bedrag dat ze bij de scheiding had gekregen op dit moment voldoende over om dat nog een
jaar vol te kunnen houden, maar daarna wist ze niet waar
ze het vandaan zou moeten halen. Ze kon nu al niets
overhouden van het geld dat ze op de bibliotheek verdiende. Toen Jean vertelde dat ze een paar dagen weg
moest en Adrienne had gevraagd of ze die tijd voor haar
op het hotel wilde passen, had Jean het vermoeden gehad
dat Adrienne krap bij kas zat, en ze had veel meer geld
voor de boodschappen klaargelegd dan nodig was. In het
briefje dat ze voor Adrienne had neergelegd, stond dat ze
de rest mocht houden als dank voor haar hulp. Adrienne
vond dat heel lief van haar, maar ze voelde zich erdoor in
haar trots gekrenkt.

Het financiële aspect was echter slechts een deel van
haar zorgen om haar vader. Soms had ze wel eens het gevoel dat hij de enige mens was die volledig achter haar
stond, en ze had haar vader nodig – nu helemaal. De tijd

die ze met hem doorbracht was een soort van vlucht voor haar en ze moest er niet aan denken dat er door iets dat ze deed of iets dat ze naliet te doen, een eind zou komen aan hun uurtjes samen.

Wat moest er van hem worden? Wat moest er van haar worden?

Adrienne schudde haar hoofd en probeerde de vragen van zich af te zetten. Ze wilde hier niet aan denken, en nu al helemaal niet. Jean had gezegd dat het stil zou zijn – er was maar één reservering – en ze had gehoopt dat ze, door hier te komen, haar gedachten voor een paar dagen zou kunnen verzetten. Ze wilde strandwandelingen maken en die boeken lezen die nu al maanden op haar nachtkastje lagen; ze wilde met haar voeten omhoog zitten en naar de in de golven spelende dolfijnen kijken. Ze had gehoopt op een paar dagen zonder zorgen, maar terwijl ze zo op de veranda van het verweerde hotelletje op de naderende storm stond te wachten, voelde ze de last van de wereld zwaar op haar schouders drukken. Ze was een ongehuwde, eenzame vrouw van midden veertig, ze was overwerkt en ze had een buikje. Haar kinderen hadden het moeilijk, haar vader was ziek en ze wist niet goed hoe ze verder moest.

Dat was het moment waarop ze de eerste tranen over haar wangen voelde rollen, en enkele seconden later, toen ze voetstappen achter zich hoorde, draaide ze zich om en zag ze Paul Flanner voor de eerste keer van haar leven.

Paul had eerder mensen zien huilen – duizenden keren zelfs, schatte hij – maar het was meestal enkele minuten na afloop van een operatie, in de steriele omgeving van een ziekenhuiswachtkamer geweest en vaak had hij zijn schort nog voor gehad. Dat schort diende voor hem als een soort van schild tegen de persoonlijke en emotionele kant van zijn werk. Niet eenmaal had hij meegehuild met de mensen met wie hij had gesproken, en hij kon zich niet één gezicht herinneren van diegenen die zich, in de hoop op een antwoord op hun vragen, tot hem hadden gewend. Het was niet iets waar hij trots op was, maar het was de mens die hij was geweest.

Maar nu, terwijl hij in de roodomrande ogen van de vrouw op de veranda keek, voelde hij zich als een indringer op onbekend terrein. Zijn eerste opwelling was om weer, als vanouds, zijn emoties uit te schakelen. Maar er was iets aan de manier waarop ze keek dat hem dat onmogelijk maakte. Misschien kwam het wel door de omgeving of door het feit dat ze alleen was; hoe dan ook, het medeleven dat hem overspoelde was een voor hem totaal onbekende sensatie en hij voelde zich er volledig door van zijn stuk gebracht.

Adrienne, die hem later had verwacht, schaamde zich ervoor dat ze in deze toestand was betrapt. Ze forceerde een glimlachje, veegde haar tranen weg en probeerde te doen voorkomen of ze veroorzaakt waren door de wind.

Maar toen ze zich naar hem omdraaide en hem zag, bleef ze hem onwillekeurig aanstaren.

Het kwam door zijn ogen, dacht ze. Ze waren lichtblauw, zo licht van kleur dat ze bijna doorschijnend leken, maar er lag een bepaalde intensiteit in die ze nog nooit eerder bij iemand had bespeurd.

Hij kent me, dacht ze opeens. *Of hij zou me kunnen leren kennen, als ik hem daar een kans toe gaf.*

Ze zette die gedachten meteen weer van zich af omdat ze haar belachelijk voorkwamen. Ach nee, besloot ze, er was niets ongewoons aan de man die voor haar stond. Hij was gewoon de gast waar Jean haar van had verteld, en aangezien ze niet achter de balie had gezeten was hij naar haar op zoek gegaan; dat was alles. En vervolgens nam ze hem op zoals je iemand opneemt die je niet kent.

Hoewel hij niet zo lang was als Jack was geweest – ze schatte hem tegen de één meter zeventig – was hij slank en had hij het uiterlijk van iemand die dagelijks aan sport doet. De trui die hij droeg was duur en paste niet bij zijn verschoten spijkerbroek, maar op de een of andere manier leken ze toch ook weer wel bij elkaar te passen. Hij had een hoekig gezicht, en het eerste dat eraan opviel waren de diepe rimpels op zijn voorhoofd, die getuigden van jaren gedwongen concentratie. Zijn grijze haar was kortgeknipt, en bij zijn oren was het bijna wit; ze schatte hem in de vijftig, maar vond het moeilijk om nauwkeuriger te zijn.

Op dat moment leek Paul te beseffen dat hij haar aan stond te staren, en hij sloeg zijn ogen neer. 'Neemt u mij niet kwalijk,' mompelde hij. 'Ik wilde u niet storen.' Hij wees over zijn schouder. 'Ik wacht binnen wel op u. Haast u zich niet.'

Adrienne schudde haar hoofd en probeerde hem gerust te stellen. 'Nee, nee, dat is nergens voor nodig. Ik wilde toch juist weer naar binnen.'

Toen ze hem aankeek, keek ze hem voor de tweede keer in de ogen. Er lag een vriendelijkere blik in nu, gecombineerd met iets van een herinnering, alsof hij aan iets verdrietigs dacht maar dat probeerde te verbergen. Ze pakte haar mok bij wijze van excuus om hem niet langer aan te hoeven kijken.

Toen Paul de deur voor haar openhield, knikte ze om hem duidelijk te maken dat hij voor moest gaan. Terwijl hij voor haar uit door de keuken naar de receptie liep, betrapte Adrienne zich erop dat ze naar zijn atletisch gebouwde lichaam keek, en ze kreeg een kleur terwijl ze zich afvroeg wat haar in vredesnaam bezielde. Ze riep zichzelf tot de orde en ging achter de balie staan. Ze bekeek de naam die in het reserveringsboek stond, en keek op.

'Paul Flanner, klopt dat? U blijft vijf nachten en gaat dinsdagochtend weer weg?'

'Ja.' Hij aarzelde. 'Zou ik een kamer met zeezicht kunnen krijgen?'

Adrienne haalde een inschrijfformulier tevoorschijn. 'Natuurlijk. Sterker nog, u kunt zelf kiezen welke kamer u wilt hebben. U bent dit weekend de enige gast.'

'Welke kamer raadt u mij aan?'

'Nou, alle kamers zijn mooi, maar als ik u was zou ik de blauwe kamer nemen.'

'De blauwe kamer?'

'Die heeft de donkerste gordijnen. Als u de gele kamer zou nemen, of de witte, dan wordt u heel vroeg wakker. De luiken houden maar weinig licht tegen en de zon komt aardig vroeg op. Die kamers liggen op het oosten.' Adrienne schoof het formulier naar hem toe en legde de pen ernaast. 'Zou u hier willen tekenen?'

'Natuurlijk.'

Adrienne keek naar Paul terwijl hij zijn handtekening zette, en bedacht ondertussen dat zijn handen bij zijn gezicht pasten. De botten van zijn knokkels waren groot, als die van een oudere man, maar zijn bewegingen waren nauwgezet en afgemeten. Hij droeg geen trouwring, zag ze – niet dat dat iets uitmaakte.

Paul legde de pen neer en pakte het formulier op om te kijken of alles goed was ingevuld. Zijn adres was het postadres van een advocaat in Raleigh. Ze pakte een sleutel van het bord, en haalde er vervolgens nog twee andere sleutels af.

'Mooi zo, we zijn klaar,' zei ze. 'Zullen we naar uw kamer gaan?'

'Graag.'

Paul deed een stapje opzij toen ze achter de balie vandaan kwam en naar de trap liep. Hij pakte zijn reistassen op en volgde haar. Toen ze bij de onderste trede was gekomen bleef ze staan om te wachten tot hij bij haar was. Ze wees op de zitkamer.

'Ik heb koffie en koekjes klaargezet. De koffie is een uur geleden gezet, dus hij is nog vers.'

'Ja, dat heb ik gezien toen ik binnenkwam. Dank u.'

Boven aan de trap, met haar hand nog op de leuning, bleef Adrienne staan. Boven waren vier kamers: één aan de voorzijde van het huis, en drie met uitzicht op zee. Op de deuren hingen geen nummers maar naambordjes, zag Paul. Hij las: Bodie, Hatteras en Cape Lookout, en hij herkende ze als de namen van de vuurtorens langs de Outer Banks.

Paul keek van de ene kamer naar de andere. 'Welke is de blauwe kamer?'

'O, ik noem hem alleen maar zo. Jean noemt hem de Bodie Suite.'

'Jean?'

'De eigenaresse van het hotel. Ze is voor een paar dagen weg en ik val voor haar in.'

De banden van de tassen sneden in zijn nek, en hij verplaatste hun gewicht terwijl Adrienne de deur opendeed. Ze hield hem voor Paul open, en een van de tassen botste tegen haar op toen Paul zich langs haar heen naar binnen wurmde.

Paul keek om zich heen. De kamer was min of meer wat hij ervan verwacht had: eenvoudig en schoon, maar met meer karakter dan een typische hotelkamer met zeezicht. Onder het raam stond een hemelbed met een nachtkastje ernaast. Aan het plafond hing een ventilator die langzaam ronddraaide, juist voldoende om de lucht in beweging te houden. Aan de andere kant van de kamer, naast een groot schilderij van de vuurtoren van Bodie, was een deur waarvan Paul aannam dat het de badkamer moest zijn. Tegen de zijmuur stond een oude commode die eruitzag alsof hij sinds het jaar waarin het hotel gebouwd was in deze kamer had gestaan.

Met uitzondering van de meubels had bijna alles een verschillende tint blauw. Het kleedje op de grond had de kleur van eitjes van een roodborstje, de sprei en de gordijnen waren marineblauw, de lamp op het nachtkastje was er zo'n beetje tussenin, en glansde als de lak van een nieuwe auto. Hoewel de commode en het nachtkastje gebroken wit waren, waren ze voorzien van afbeeldingen van strandscènes onder een stralend blauwe hemel. Zelfs de telefoon was blauw, waardoor hij eruitzag als speelgoed.

'Wat vindt u?'

'Nou, het valt niet te ontkennen dat het een blauwe kamer is,' zei hij.

'Wilt u de andere kamers zien?'

Paul zette zijn tassen neer en keek door het raam naar buiten.

'Nee, deze kamer is uitstekend. Maar mag ik het raam opendoen? Het is een beetje benauwd hier binnen.'

'Gaat uw gang.'

Paul liep door de kamer naar het venster, trok de pin eruit en schoof het raam omhoog. Omdat het huis in de loop der jaren zo vaak geschilderd was, kwam het kozijn na een paar centimeter klem te zitten. Toen Paul kracht zette om het verder omhoog te krijgen, zag Adrienne de pezige spieren van zijn onderarmen spannen en samentrekken.

Ze schraapte haar keel.

'Ik zal u maar vertellen dat dit voor mij de eerste keer

is dat ik voor Jean op de boel pas,' zei ze. 'Ik ben hier al heel vaak geweest, maar altijd wanneer zij er ook was. Dus, als er iets niet helemaal in orde is, aarzelt u dan niet om mij dat meteen te zeggen.'

Paul draaide zich om. Met zijn rug naar het raam bevond zijn gezicht zich in de schaduw.

'Ik maak me geen zorgen,' zei hij. 'Ik ben tegenwoordig niet meer zo kritisch.'

Adrienne glimlachte en trok de sleutel uit het slot van de deur. 'Goed. Dan vertel ik u nu wat u moet weten. Jean heeft me gezegd dat ik u deze dingen moet vertellen. Onder het raam is een gevelkachel, en die kunt u zo aanzetten. Hij heeft maar twee standen, en in het begin maakt hij een tikkend geluid, maar dat houdt binnen een paar minuten op. In de badkamer vindt u schone handdoeken, maar mocht u er meer nodig hebben, dan zegt u dat maar. En hoewel het eeuwig lijkt te duren, kunt u erop rekenen dat er uiteindelijk wel degelijk warm water uit de douche komt.'

Adrienne zag Pauls vage glimlachje, en ze ging verder met haar verhaal.

'En tenzij we van het weekend nóg andere gasten krijgen – maar dat zit er met de storm niet in, of er moet iemand stranden,' zei ze, 'kunnen we eten waar u zin in hebt. Normaal gesproken is het ontbijt om acht uur en het avondeten om zeven uur, maar als u dan net iets anders doet, laat u mij dat dan weten en dan kunnen we eten wanneer u dat beter uitkomt. Of ik kan iets klaarmaken dat u mee kunt nemen.'

'Dank u.'

Ze zweeg en dacht na of er nog iets was dat ze moest zeggen.

'O ja, nog iets. Als u wilt telefoneren, dan moet u weten dat u met deze telefoon alleen maar plaatselijk kunt bellen. Als u provinciaal of internationaal wilt bellen, moet u dat met een telefoonkaart of via de telefoniste doen.'

'Goed.'

Ze aarzelde op de drempel. 'Wilt u nog iets weten?'

'Nee, ik denk dat u alles wel zo'n beetje gezegd hebt. Met uitzondering dan van het meest voor de hand liggende.'

'En dat is?'

'U hebt me nog niet gezegd hoe u heet.'

Ze legde de sleutel op de commode naast de deur en glimlachte. 'Ik ben Adrienne. Adrienne Willis.'

Paul kwam naar haar toe en verraste haar door zijn hand uit te steken.

'Prettig om kennis met je te maken, Adrienne.'

Zes

———❦———

Paul was op verzoek van Robert Torrelson naar Rodanthe gekomen, en terwijl hij een paar spullen uitpakte en in de commode legde, vroeg hij zich opnieuw af wat Robert tegen hem wilde zeggen, of dat hij van Paul verwachtte dat híj het grootste gedeelte van het gesprek voor zijn rekening zou nemen.

Jill Torrelson was bij hem gekomen omdat ze een meningeoom had – een goedaardig, niet levensbedreigend gezwel dat echter, om het zwak uit te drukken, geen aantrekkelijke aanblik bood. Het gezwel, dat zich op de rechterkant van haar gezicht bevond en van de brug van haar neus over haar hele wang liep, vormde een gezwollen, paarse massa vol littekens op de plaatsen waar het in de loop der jaren had gezweerd. Paul had tientallen patiënten met een meningeoom geopereerd, en hij had heel wat brieven ontvangen van diegenen die de operatie hadden ondergaan en hem dankbaar waren voor wat hij voor hen had gedaan.

Hij was de operatie in gedachten minstens duizend keer nagelopen, en hij wist werkelijk niet waarom ze was gestorven. En naar het scheen was ook de wetenschap niet in staat een bevredigend antwoord op de vraag te geven. De autopsie op Jill had niets opgeleverd, en de doodsoorzaak was onduidelijk gebleven. Aanvankelijk had men gemeend dat het een soort van embolie was geweest, maar daar was geen enkel bewijs voor gevonden. Daarna rees het vermoeden dat ze mogelijk een allergische reactie had gehad op de anesthesie of de postoperatieve medicatie, maar uiteindelijk werden ook die mogelijkheden van de hand gewezen. Datzelfde gold voor nalatigheid van Paul; de operatie was vlekkeloos en zonder incidenten verlopen, en de lijkschouwer had bij zijn nauwgezette onderzoek niets ongewoons aan de procedure kunnen ontdekken, en evenmin iets dat mogelijkerwijs tot haar dood geleid zou kunnen hebben.

De video-opname had dat bevestigd. Omdat het meningeoom als een typisch geval werd beschouwd, was de operatie door het ziekenhuis op video vastgelegd om op een later tijdstip eventueel als lesmateriaal voor de faculteit gebruikt te kunnen worden. De beelden waren uiteindelijk bekeken door de raad van chirurgen van het ziekenhuis, plus nog drie, van buiten de staat afkomstige, andere chirurgen. En opnieuw waren er geen onregelmatigheden geconstateerd.

Het rapport maakte melding van enkele medische aandoeningen. Jill Torrelson was te zwaar en haar aderen waren enigermate verkalkt. Ze zou op den duur waarschijnlijk een bypass-operatie nodig hebben gehad. Ze was suikerpatiënt en verkeerde, als levenslange rookster, in de beginfase van emfyseem, hoewel – wederom – geen van die aandoeningen op het moment van de operatie een levensbedreigend karakter had gehad en geen ervan een afdoende verklaring vormde voor wat er was gebeurd.

Jill Torrelson was schijnbaar zonder enige aanwijsbare reden gestorven, en alles wees erop dat ze was overleden omdat haar tijd was gekomen.

Net als zovele anderen in overeenkomstige situaties, had Robert Torrelson een officiële aanklacht ingediend. Paul, het ziekenhuis en de anesthesist werden ter verantwoording geroepen. Paul was, zoals de meeste chirurgen, tegen dit soort situaties verzekerd. Volgens de gangbare normen kreeg hij te horen dat hij alleen maar met Robert Torrelson mocht praten in het bijzijn van een advocaat, en zelfs dan alleen nog maar als het was om een getuigenverklaring af te leggen en Robert Torrelson toevallig in hetzelfde vertrek aanwezig was.

De zaak had zich gedurende een jaar zonder enige uitkomst voortgesleept. Nadat de advocaat van Robert Torrelson uiteindelijk het autopsierapport had ontvangen, een andere chirurg naar de videoband had laten kijken, en de drie advocaten van de verzekeringsmaatschappij waren begonnen met het indienen van bezwaren om het proces zo lang mogelijk te rekken en de kosten op te drijven, had hij een aardige indruk van waar zijn cliënt het tegen op moest nemen. Hoewel het niet met zoveel woorden werd gezegd, rekenden de advocaten van de verzekeringsmaatschappij erop dat Robert Torrelson de aanklacht uiteindelijk zou intrekken.

Het liep precies als met de andere paar klachten die in de loop der jaren tegen Paul Flanner waren ingediend, met uitzondering van het feit dat Paul twee maanden geleden een persoonlijk briefje van Robert Torrelson had ontvangen.

Hij had het niet mee hoeven brengen om zich te herinneren wat erin had gestaan.

> *Geachte dr. Flanner,*
> *Ik zou graag een persoonlijk gesprek met u hebben. Dit is erg belangrijk voor mij.*
> > *Alstublieft.*
> > *Robert Torrelson*

Onder aan de brief had hij zijn adres geschreven.

Nadat Paul het briefje had gelezen, had hij het aan de advocaten laten zien, en ze hadden hem aangeraden het te negeren. Dezelfde reactie kreeg hij van zijn gewezen collega's in het ziekenhuis. Doe nu maar gewoon alsof je het niet hebt gekregen, zeiden ze. Zodra het allemaal achter de rug is kunnen we, als hij dan nog steeds wil praten, een gesprek met hem regelen.

Maar iets aan de simpele smeekbede boven Robert Torrelsons keurige handtekening had Paul op een gevoelige plek getroffen, en had hem doen beslissen om niet naar de anderen te luisteren.

Hij had, voor zijn gevoel, al te veel dingen genegeerd.

Paul trok zijn jack aan, liep de trap af, ging de voordeur uit en liep naar de auto. Hij pakte het leren buideltasje met zijn paspoort en tickets van de voorbank, maar in plaats van weer naar binnen te gaan, liep hij om het hotel heen.

Aan de achterkant stond een kille, harde wind, en Paul bleef even staan om zijn jack dicht te ritsen. Hij klemde het buideltasje onder zijn arm, stak zijn handen in zijn zakken, trok zijn hoofd tussen zijn schouders en voelde de bries op zijn wangen.

De lucht deed hem denken aan de luchten in Baltimore vlak voor een sneeuwstorm, waaronder alles een bleekgrijze tint kreeg. In de verte zag hij een pelikaan met onbeweeglijke vleugels op de wind laag over het water scheren. Hij vroeg zich af waar de vogel naar toe zou gaan wanneer de storm in al zijn hevigheid los zou barsten.

Paul liep naar het water en bleef staan. De golven kwamen uit twee verschillende richtingen aanrollen, en op de plek waar ze tegen elkaar opbotsten vloog het schuim in de lucht. De lucht was vochtig en kil. Toen hij achteromkeek zag hij het gele licht in de keuken van het hotel. Adriennes gestalte gleed als een schaduw langs het raam, en verdween vervolgens uit het zicht.

Hij bedacht dat hij de volgende ochtend zou proberen om met Robert Torrelson te praten. De verwachting was dat de storm 's middags zou komen opzetten en waarschijnlijk het grootste gedeelte van het weekend zou duren, dus dan zou hij het niet kunnen doen. Aan de andere kant wilde hij het ook niet uitstellen tot maandag; zijn vlucht vertrok dinsdagmiddag van Dulles, en hij zou op zijn laatst om negen uur uit Rodanthe weg moeten rijden. Hij wilde niet het risico lopen dat hij hem niet te spreken zou krijgen, en met het oog op de storm was één dag een beetje aan de krappe kant. Voor hetzelfde geld was de stroom maandag uitgevallen en konden er overstromingen zijn, terwijl het ook niet ondenkbaar was dat Robert Torrelson na afloop van het slechte weer met andere dingen bezig was.

Paul was nog nooit eerder in Rodanthe geweest, maar hij kon zich niet voorstellen dat hij langer dan een paar minuten nodig zou hebben om het huis te vinden. Het dorpje had, voorzover hij had gezien, maar een stuk of twintig straten, en het zou hem maximaal een halfuur kosten om van de ene kant naar de andere te lopen.

Nadat hij nog even op het strand was blijven staan, draaide Paul zich om en begon terug te lopen naar het huis. Terwijl hij dat deed zag hij Adrienne Willis opnieuw langs het raam lopen.

Haar glimlach, dacht hij. Ze had een lieve glimlach.

Adrienne keek door het raam en zag Paul Flanner vanaf het strand komen aanlopen.

Ze was bezig met het uitpakken van de boodschappen en probeerde ze op de juiste plaats in de kast te zetten. Eerder die middag had ze alles gekocht wat Jean haar had aangeraden, maar nu vroeg ze zich af of ze daar niet beter mee had kunnen wachten tot Paul gearriveerd was, want dan had ze hem kunnen vragen of er iets speciaals was waar hij zin in had.

Zijn bezoek intrigeerde haar. Ze wist van Jean dat ze, toen hij zes weken geleden gebeld had, gezegd had dat ze na Oud en Nieuw dichtging en pas in april weer open zou gaan; maar hij had aangeboden om het dubbele voor de kamer betalen als ze bereid zou zijn om een week langer open te blijven.

Hij was niet met vakantie, dat wist ze zeker. Niet alleen omdat Rodanthe in de winter geen populaire vakantiebestemming was, maar omdat hij haar niet het vakantietype leek. En ook had hij zich bij het inschrijven niet gedragen als iemand die hier was om eens lekker uit te rusten.

Daar stond tegenover dat hij ook niet had gezegd dat hij voor familiebezoek hier was, dus dat betekende dat hij voor zaken was gekomen. Maar ook dat leek niet echt waarschijnlijk. Afgezien van vissen en toerisme viel er qua zaken in Rodanthe niet veel te beleven, en in de winter ging alles hier dicht, met uitzondering van die paar winkels en bedrijven die aan de plaatselijke bevolking leverden.

Ze liep er nog steeds over te piekeren toen ze hem achter de trap op hoorde komen. Ze luisterde terwijl hij op de veranda het zand van zijn schoenen stampte.

Even later ging de achterdeur piepend open en kwam Paul de keuken binnen Toen hij zijn jack uittrok zag ze dat het puntje van zijn neus rood was geworden.

'Ik geloof dat de storm in aantocht is,' zei hij. 'Het is sinds vanochtend zeker tien graden kouder.'

Adrienne zette een pak croutons in de kast en keek over haar schouder terwijl ze tegen hem sprak.

'Ja, dat weet ik. Ik heb de verwarming hoger moeten zetten. Dit is niet echt een energiezuinig huis. Ik kon de wind door de ramen heen voelen komen. Het spijt me dat je geen beter weer hebt getroffen.'

Paul wreef zijn armen. 'Ach, zo gaat het nu eenmaal. Is er nog koffie? Ik geloof dat ik nu wel een kopje kan gebruiken om weer op temperatuur te komen.'

'Hij zal nu wel niet zo lekker meer zijn. Ik zet wel even vers. Dat duurt maar een paar minuten.'

'Als je het niet erg vindt.'

'Helemaal niet. Ik heb zelf ook wel zin in een kopje.'

'Dank je. Ik breng even mijn jack naar boven en fris me wat op, en dan kom ik zo weer beneden.'

Voor hij de keuken verliet glimlachte hij naar haar, en pas toen Adrienne merkte dat ze de lucht uit haar longen liet ontsnappen, realiseerde ze zich dat ze haar adem had ingehouden. Toen hij weg was maalde ze een handjevol verse bonen, verwisselde de filter en zette het koffiezetapparaat aan. Ze haalde de zilveren pot, goot de oude koffie door de gootsteen en spoelde hem om. Terwijl ze bezig was kon ze hem in de kamer boven haar hoofd heen en weer horen lopen.

Hoewel ze van tevoren had geweten dat hij dit weekend de enige gast zou zijn, had ze zich niet gerealiseerd hoe vreemd het was om alleen met hem in huis te zijn. Of alleen – punt. Toegegeven, de kinderen hadden hun eigen bezigheden en van tijd tot tijd had ze wel een beetje tijd voor zichzelf, maar dat duurde nooit lang. Ze konden altijd elk moment weer thuiskomen. En daarbij, ze waren haar kínderen. Het was heel anders dan de situatie waar ze nu in verkeerde, en ze ontkwam niet aan het gevoel dat ze het leven van iemand anders leidde, een leven waarvan ze de regels niet kende.

Ze schonk een kop koffie voor zichzelf in, en deed de rest in de zilveren pot. Net toen ze de pot weer op het blad in de zitkamer zette, hoorde ze hem de trap af komen.

'Precies op tijd,' zei ze. 'De koffie is net klaar. Zal ik de open haard aansteken?'

Paul kwam de zitkamer binnen en toen hij om haar heen reikte om een kop te pakken ving ze een vleug op van zijn eau de cologne.

'Nee, dat is niet nodig. Ik heb het warm genoeg. Misschien wat later.'

Ze knikte en deed een stapje naar achteren. 'Nou, mocht je iets nodig hebben, ik ben in de keuken.'

'Ik dacht dat je had gezegd dat je ook een kop koffie wilde?'

'Ik heb de mijne al ingeschonken. Hij staat op het aanrecht.'

Hij keek op. 'Drinken we dan niet samen?'

Ze bespeurde een verwachtingsvolle toon in zijn vraag, net alsof hij echt hoopte dat ze zou blijven.

Ze aarzelde. Jean was goed in het praten over koetjes en kalfjes met vreemden, maar daar had zij altijd moeite mee gehad. Tegelijkertijd echter vond ze zijn vraag vleiend, al kon ze niet precies zeggen waarom.

'Ach, waarom ook niet,' zei ze ten slotte. 'Dan ga ik mijn kopje maar even halen.'

Toen ze terugkwam zat Paul in een van de twee schommelstoelen voor de open haard. De zitkamer was, met zijn oude zwartwitfoto's van het leven in de Outer Banks anno 1920, en de boekenkast vol beduimelde boeken, altijd haar lievelingsvertrek geweest. Er waren twee vensters die uitkeken op zee. Naast de open haard lag een keurige stapel brandhout en er stond een doos met aanmaakhoutjes, en het geheel maakte de indruk alsof alles was klaargezet voor een gezellig avondje met het gezin.

Paul hield zijn kopje op zijn schoot, schommelde langzaam van voren naar achteren en terug, en keek naar buiten. De wind liet het zand opstuiven en de mist kwam opzetten, zodat het veel donkerder leek dan het in werkelijkheid was. Adrienne ging op de stoel naast de zijne zitten. Ze nam het uitzicht stilzwijgend in zich op terwijl ze haar best deed om haar zenuwachtigheid de baas te blijven.

Paul draaide zich naar haar toe. 'Denk je dat we morgen zullen worden weggeblazen in de storm?' vroeg hij.

Adrienne kamde met haar vingers door haar haren. 'Dat betwijfel ik. Dit huis staat al zestig jaar, en tot nu toe heeft het elke storm overleefd.'

'Ben je hier wel eens geweest tijdens een noordooster storm? Een echte zware, bedoel ik, zoals die welke er nu is voorspeld?'

'Nee. Maar Jean wel, dus het zal wel meevallen. Maar aan de andere kant, zij komt hier vandaan, dus misschien is ze het wel gewend.'

Terwijl ze antwoordde realiseerde Paul zich dat hij haar schattend opnam. Ze was een paar jaar jonger dan hij met schouderlang, golvend, lichtbruin haar. Ze was niet dun, maar echt dik was ze ook niet; hij vond haar figuur aantrekkelijk hoewel het niet overeenkwam met de onrealistische normen die op de televisie of in tijdschriften werden gehanteerd. Ze had een lichte bobbel op haar neus en kraaienpootjes bij haar ooghoeken, en haar huid had dat zachte punt tussen jeugd en ouderdom bereikt, het moment vlak voordat de zwaartekracht zijn tol begint te eisen.

'En je zei dat jullie vriendinnen zijn?'

'We hebben elkaar jaren geleden op de universiteit leren kennen. Jean was een van mijn flatgenootjes en we zijn altijd contact blijven houden met elkaar. Dit was het huis van haar grootouders, maar haar ouders hebben er een hotel van gemaakt. Ze belde me nadat je gereserveerd had, aangezien ze weg moest voor een bruiloft in een andere stad.'

'Woon je hier in de buurt?'

'Nee. Ik woon in Rocky Mount. Ben je daar wel eens geweest?'

'Vaak zelfs. Ik kwam erdoorheen op weg naar Greenville.'

Adrienne dacht aan het adres dat hij op het inschrijvingsformulier had ingevuld. Ze nam een slokje van haar koffie, liet de kop zakken en zette hem op haar schoot.

'Ik weet wel dat het me niets aangaat,' zei ze, 'maar mag ik je vragen waarvoor je hier bent? Je hoeft het niet te zeggen als je niet wilt – ik ben alleen maar nieuwsgierig.'

Paul ging verzitten. 'Ik ben hier omdat ik iemand moet spreken.'

'Dan heb je wel een heel eind gereden voor een gesprek.'

'Ik had geen keus. De man wilde me persoonlijk ontmoeten.'

Zijn stem had een afstandelijke klank gekregen, en even leek hij in gedachten verzonken. In de stilte hoorde Adrienne het wapperen van de vlag voor het huis.

Paul zette de koffie op de tafel tussen hen in.

'Wat doe je verder nog?' vroeg hij ten slotte, terwijl zijn stem weer een warmere klank kreeg. 'In plaats van voor vriendinnen op hotelletjes passen?'

'Ik werk in de openbare bibliotheek.'

'O ja?'

'Je klinkt verbaasd.'

'Ja, dat ben ik geloof ik ook. Ik had verwacht dat je iets anders zou zeggen.'

'Zoals wat?'

'Om eerlijk te zijn weet ik dat niet. Maar niet dat. Je ziet er niet oud genoeg uit om bibliothecaresse te kunnen zijn. Waar ík woon, zijn ze allemaal in de zestig.'

Ze glimlachte. 'Het is maar een parttime baan. Ik heb drie kinderen, dus ik ben ook nog moeder.'

'Hoe oud zijn je kinderen?'

'Achttien, zeventien en vijftien.'

'En je hebt het druk met hen?'

'Nee, niet echt. Zolang ik maar om vijf uur opsta en er niet voor middernacht weer in kruip, valt het wel mee.'

Hij grinnikte zacht, en Adrienne voelde dat ze zich begon te ontspannen. 'En jij? Heb jij kinderen?'

'Eén maar. Een zoon.' Even liet hij zijn blik zakken, maar toen keek hij haar weer aan. 'Hij is arts in Ecuador.'

'Woont hij daar?'

'Voorlopig. Hij werkt gedurende een aantal jaren als vrijwilliger in een klein hospitaal in de buurt van Esmeraldas.'

'Je zult wel trots op hem zijn.'

'Dat ben ik, ja.' Hij zweeg. 'Maar om eerlijk te zijn, moet ik bekennen dat hij dat wel van mijn vrouw zal hebben. Of liever, van mijn ex-vrouw. Het kwam meer door haar dan door mij.'

Adrienne glimlachte. 'Dat is fijn om te horen.'

'Wat?'

'Dat je waardering hebt voor haar goede eigenschappen. Ondanks dat je gescheiden bent, bedoel ik. Je hoort niet vaak dat mensen na hun scheiding aardige dingen over hun gewezen partner zeggen. Meestal, als mensen over hun ex praten, vertellen ze alleen maar wat er verkeerd is gegaan, of beginnen ze over alle slechte eigenschappen die die ander had.'

Paul vroeg zich af of ze uit ervaring sprak, en vermoedde dat dat inderdaad zo was.

'Vertel me eens wat over je kinderen, Adrienne. Hebben ze hobby's?'

Adrienne nam nog een slokje van haar koffie en vond het vreemd om hem haar naam te horen zeggen.

'Mijn kinderen? O, nou, eens kijken... Matt is begonnen als quarterback bij het footballteam, maar nu zit hij in het basketbalteam. Amanda is dol op toneel, en ze heeft net de hoofdrol van Maria in de *West Side Story* gekregen. En Dan... Nou, op dit moment speelt Dan ook basketbal, maar volgend jaar wil hij waarschijnlijk toch liever op worstelen. De trainer heeft hem de afgelopen zomer tijdens het sportkamp aan het werk gezien, en wil dolgraag dat hij het eens komt proberen.'

Paul trok zijn wenkbrauwen op. 'Indrukwekkend.'

'Ach ja, wat moet ik ervan zeggen? Dat hebben ze allemaal aan hun moeder te danken,' zei ze ad rem.

'Dat verbaast me niets.'

Ze glimlachte. 'Maar dat zijn natuurlijk alleen maar de positieve dingen. Zou ik je verteld hebben over hun rotbuien en onbeschofte gedrag, of als ik je de bende in hun kamers had laten zien, dan zou je waarschijnlijk denken dat ik een waardeloze moeder was.'

Paul glimlachte. 'Dat betwijfel ik. Ik zou denken dat je tieners opvoedde.'

'Wil je me daarmee soms zeggen dat die zoon van jou, die gewetensvolle arts, precies dezelfde dingen heeft gedaan en dat ik daarom de hoop niet moet verliezen?'

'Ik kan me indenken dat hij dat heeft gedaan, ja.'

'Maar dat weet je niet zeker?'

'Niet echt.' Hij zweeg. 'Ik was niet zo erg vaak thuis. Er is een tijd in mijn leven geweest waarin ik veel te hard werkte.'

Ze merkte dat het hem moeilijk viel om dat te bekennen, en ze vroeg zich af waarom hij het had gezegd. Voor ze erop door kon vragen, ging opeens de telefoon, en ze draaiden zich alle twee om naar de bron van het geluid.

'Neem me niet kwalijk,' zei ze, opstaand. 'Ik moet opnemen.'

Paul keek haar na terwijl ze wegliep, en opnieuw viel hem op hoe aantrekkelijk ze was. Ondanks het feit dat hij zich de laatste jaren steeds meer met schoonheidsoperaties had beziggehouden, had hij de dingen die je niet aan iemands uiterlijk kon zien – vriendelijkheid en integriteit, gevoel voor humor en nuchter verstand – altijd belangrijker gevonden. Hij wist zeker dat Adrienne al die karaktertrekken had, maar hij had het gevoel dat ze lange tijd ondergewaardeerd waren gebleven – mogelijk zelfs door haarzelf.

Hij had gemerkt dat ze, toen ze waren gaan zitten, aanvankelijk zenuwachtig was geweest, en dat vond hij vreemd ontroerend. Het gebeurde maar al te vaak, en helemaal binnen zijn vak, dat mensen indruk probeerden te maken, dat ze er goed op letten dat ze de juiste dingen zeiden en pronkten met waar ze in uitblonken. Anderen kletsten er maar op los alsof het gesprek een eenrichtingsverkeer was, en niets was zo onuitstaanbaar als een opschepper. Maar geen van die trekken leek op Adrienne van toepassing.

En, dat wilde hij best toegeven, het was prettig om te kunnen praten met iemand die hem niet kende. In de afgelopen maanden had hij, als hij niet alleen was, voortdurend vragen moeten beantwoorden in de trant van of hij niet ziek was en of hij zich wel goed voelde. Meer dan eens hadden collega's hem de naam van een goede psychotherapeut aanbevolen, en bekend dat die hen zo uitstekend had geholpen. Paul was moe geworden van het altijd maar weer uit te moeten leggen dat hij wist wat hij deed en dat zijn besluit vaststond. En waar hij vooral genoeg van had gehad, waren de bezorgde blikken die ze hem in reactie daarop hadden toegeworpen.

Maar Adrienne had iets dat hem het gevoel gaf dat ze zou begrijpen wat hij doormaakte. Hij kon niet zeggen waaróm hij dat zo voelde of waarom het belangrijk was. Maar dat het zo was, dat wist hij zeker.

Zeven

—◆—

Een paar minuten later zette Paul zijn lege kopje op het blad, en bracht het blad vervolgens naar de keuken.

Toen hij daar kwam was Adrienne nog steeds aan de telefoon. Ze stond met haar rug naar hem toe tegen het aanrecht geleund, had haar ene been over het andere geslagen en draaide een lok van haar haren tussen haar vingers. Aan de klank van haar stem te oordelen was ze bezig het gesprek af te ronden, en hij zette het blad op het aanrecht.

'Ja, ik heb je briefje gevonden... ja, ja... hij is er al...'

Er was een lange pauze terwijl ze luisterde, en toen ze opnieuw iets zei, sprak ze zachter dan eerst. 'Ja, het is de hele dag op het nieuws geweest... Zo te horen moet het een hele zware zijn... O, goed... onder het huis?... Ja, dat moet me wel lukken... Ik bedoel, zó moeilijk kan het toch niet zijn, wel?... Graag gedaan... Veel plezier op de bruiloft... Dag.'

Paul zette zijn kopje in de gootsteen toen ze zich omdraaide.

'Dat had je rustig kunnen laten staan,' zei ze.

'Dat weet ik, maar ik kwam toch deze kant op. Ik wilde vragen wat we eten vanavond.'

'Begin je honger te krijgen?'

Paul draaide de kraan open. 'Een beetje. Maar als je liever wat later eet, is dat ook goed.'

'Nee, ik begin ook trek te krijgen.' En toen, toen ze zag wat hij van plan was, voegde ze eraan toe: 'Hier, laat mij dat doen. Jij bent de gast hier.'

Paul deed een stapje opzij terwijl Adrienne voor de gootsteen naast hem kwam staan. Ze sprak verder onder het afwassen van de koppen en de koffiepot.

'Je kunt kiezen uit kip, biefstuk of pasta met roomsaus. Ik kan maken waar je zin in hebt, maar weet wel dat wat je vandaag niet kiest naar alle waarschijnlijkheid morgen op het menu zal staan. Ik kan niet garanderen dat we gedurende het weekend een open supermarkt zullen kunnen vinden.'

'Ik vind alles best. Jij mag kiezen.'

'Kip? Die is al ontdooid.'

'Uitstekend.'

'En ik had gedacht om er gekookte aardappelen en sperziebonen bij te doen.'

'Lekker.'

Ze droogde haar handen met een papieren handdoekje

en pakte het schort dat over het handvat van de oven hing. Terwijl ze het voor deed, ging ze verder.

'En heb je ook zin in een slaatje vooraf?'

'Alleen als jij dat ook eet. Zo niet, dan is dat ook goed.'

Ze glimlachte. 'Goh, nou, je zei dat je niet kieskeurig was, en dat is duidelijk.'

'Mijn motto is dat ik zo ongeveer alles eet zolang ik het niet zelf hoef te koken.'

'Hou je niet van koken?'

'Ik heb het nooit hoeven doen. Martha – mijn ex – was altijd bezig om nieuwe recepten uit te proberen. En sinds ze weg is, heb ik bijna elke avond buiten de deur gegeten.'

'Nou, ik vrees dat je hier niet de kwaliteit van een restaurant zult krijgen. Ik kan koken, maar ik ben geen chefkok. Bij mij thuis gaat het de jongens vooral om kwantiteit, en originaliteit interesseert ze niet.'

'Ik weet zeker dat het lekker zal zijn. En ik wil je graag helpen.'

Ze keek hem verbaasd aan. 'Alleen als je dat echt wilt. Als je liever naar boven wilt gaan om een dutje te doen, of als je wilt lezen, dan roep ik je wel als het klaar is.'

Hij schudde zijn hoofd. 'Ik heb niets meegenomen om te lezen, en als ik nu ga slapen, dan slaap ik straks niet meer.'

Ze aarzelde, dacht over zijn aanbod na, en wees ten slotte op de deur aan de andere kant van de keuken. 'Nou... graag dan. Je kunt beginnen met aardappels schillen. Die vind je daar in de bijkeuken, op de tweede plank, naast de rijst.'

Paul liep naar de bijkeuken. Terwijl ze de koelkast opentrok om de kip eruit te halen, observeerde ze hem vanuit haar ooghoeken, en bedacht dat ze het prettig vond dat hij haar wilde helpen, maar dat het haar aan de andere kant ook wel een beetje zenuwachtig maakte. Het impliceerde een bepaalde intimiteit waar ze zich niet goed raad mee wist.

'Is er ook iets te drinken?' vroeg Paul vanachter haar. 'In de koelkast, bedoel ik?'

Adrienne schoof een paar dingen opzij voor ze onderin op de glasplaat keek. Er lagen een aantal flessen die met een potje augurken op de plaats werden gehouden.

'Hou je van wijn?'

'Wat voor soort?'

Ze zette de kip op het aanrecht en haalde een fles tevoorschijn.

'Pinot grigio. Is dat goed?'

'Die heb ik nog nooit gedronken. Ik drink meestal chardonnay. Jij wel?'

'Nee.'

Hij had de aardappelen gevonden en kwam ermee de keuken in. Nadat hij ze op het aanrecht had gelegd, pakte hij de wijn. Adrienne observeerde hem terwijl hij het etiket bestudeerde, en toen keek hij op.

'Klinkt goed. Er staat dat er een vleug van appel en sinaasappel in zit, dus dat moet wel lekker zijn. Weet je waar ik een kurkentrekker kan vinden?'

'Ik geloof dat ik er een in die la daar heb zien liggen. Even kijken.'

Adrienne trok de la open, en toen de la eronder, maar ze vond geen kurkentrekker. Toen ze hem eindelijk gevonden had, gaf ze hem aan Paul, waarbij haar vingers even langs de zijne streken. Met enkele snelle bewegingen had hij de fles ontkurkt, en hij legde de kurk ernaast. Onder het kastje bij het fornuis hingen glazen, en Paul liep erheen. Hij haalde er een van het rekje, en aarzelde toen.

'Zal ik voor jou ook een glas inschenken?'

'Waarom ook niet?' zei ze. Haar huid tintelde nog op de plek waar ze elkaar hadden aangeraakt.

Paul schonk twee glazen in en bracht er één naar haar. Hij rook aan de wijn en nam een slokje toen Adrienne hetzelfde deed. Nagenietend van de smaak die achter op haar tong was blijven hangen, dacht ze na en probeerde ze te begrijpen wat er precies gaande was.

'Wat denk je?' vroeg hij.

'Dat het een lekker wijntje is.'

'Ja, dat vind ik ook.' Hij liet de wijn in het glas ronddraaien. 'In feite smaakt hij veel beter dan ik verwacht had. Ik moet het merk onthouden.'

Adrienne had opeens behoefte om zich terug te trekken, en ze deed een stapje naar achteren. 'Kom, ik ga aan de slag met de kip.'

'En dat betekent dat ik ook aan het werk moet.'

Adrienne vond een braadpan onder de oven, en ondertussen zette Paul zijn glas op het aanrecht en liep naar de gootsteen. Hij draaide de kraan open, zeepte zijn handen in en begon ze te boenen. Het viel haar op dat hij niet alleen de binnenkant, maar ook de bovenkant van zijn handen waste, en dat hij vervolgens al zijn vingers afzonderlijk een beurt gaf. Ze zette de oven aan, koos de temperatuur die ze hebben wilde, en hoorde het gas aanspringen.

'Is er ergens een dunschiller?' vroeg hij.

'Ik heb er eerder ook geen kunnen vinden, dus ik denk dat je het met een schilmesje zult moeten doen. Is dat goed?'

Paul lachte zacht. 'Ja, dat moet wel lukken. Ik ben chirurg,' zei hij.

Dat wat het moment waarop haar opeens een heleboel dingen duidelijk werden: de diepe rimpels op zijn gezicht, zijn doordringende, scherpe blik, de manier waarop hij zijn handen waste. Ze vroeg zich af waarom ze er niet eerder op was gekomen. Paul kwam naast haar staan, pakte de aardappels en begon ze schoon te maken.

'Heb je een praktijk in Raleigh?' vroeg ze.

'Gehad. Ik heb mijn praktijk afgelopen maand verkocht.'

'Ben je gepensioneerd?'

'In zekere zin. Ik ben op weg naar mijn zoon.'

'In Ecuador?'

'Als hij het me gevraagd zou hebben, zou ik hem Zuid-Frankrijk hebben aangeraden, maar ik betwijfel of hij naar me geluisterd zou hebben.'

Ze glimlachte. 'Nee, dat doen ze nooit.'

'Nee, maar ik heb ook nooit naar mijn vader geluisterd. Ik denk dat het allemaal bij het proces van opgroeien hoort.'

Even zeiden ze geen van tweeën iets. Adrienne kruidde de kip. Paul begon met efficiënte gebaren de aardappels te schillen.

'Maakt Jean zich zorgen vanwege de storm?' vroeg hij. Ze keek hem aan. 'Hoe weet je dat?'

'Doordat je opeens zachter met haar ging praten. Ik vermoedde dat ze je vertelde wat je moest doen om het huis te beveiligen.'

'Dat heb je goed begrepen.'

'Is het moeilijk? Ik bedoel, ik wil je graag helpen als dat nodig is.'

'Kijk maar uit, straks neem ik je aanbod nog aan. Mijn ex was degene die goed met de hamer overweg kon, ik niet. En als ik heel eerlijk ben, moet ik bekennen dat hij niet echt zo héél erg handig was.'

'Volgens mij is dat een vaardigheid waarin iemand zichzelf nogal gemakkelijk overschat.' Hij legde de eerste aardappel op de snijplank en pakte de tweede. 'Als ik het mag vragen, hoe lang ben je gescheiden?'

Ze wist niet zeker of ze het hier wel over wilde hebben, maar tot haar verbazing hoorde ze zichzelf zeggen: 'Drie jaar. Maar daarvoor was hij al een jaar het huis uit.'

'Wonen de kinderen bij jou?'

'Het grootste gedeelte van de tijd. Op dit moment hebben ze vakantie en zijn ze bij hun vader. En jij?'

'Een paar maanden maar. De scheiding is afgelopen oktober uitgesproken. Maar daarvoor was zij ook al een jaar weg.'

'Was zij degene die wilde scheiden?'

Paul knikte. 'Maar het was meer mijn schuld dan de hare. Ik was nauwelijks thuis, en daar had ze op een gegeven moment genoeg van. Als ik haar was geweest, had ik waarschijnlijk hetzelfde gedaan.'

Adrienne liet zijn antwoord op zich inwerken, en bedacht dat de man die naast haar stond helemaal niet leek op de man die hij zojuist had beschreven. 'Wat voor soort chirurgie deed je?'

Ze keek op nadat hij haar dat verteld had. Paul ging verder, alsof hij wist wat ze wilde vragen.

'Ik ben erin verzeild geraakt omdat ik het fijn vond om zichtbare resultaten van mijn werk te zien, en omdat het me voldoening gaf dat ik de mensen kon helpen. In het begin was het vooral herstellend werk na ongelukken, of geboorteafwijkingen en zo. Maar in de afgelopen paar jaar is daar verandering in gekomen. Nu komen de mensen binnen voor plastische chirurgie. Ik heb in de afgelopen zes maanden meer neuzen gedaan dan ik ooit voor mogelijk had gehouden.'

'Wat zou ik moeten laten doen?' vroeg ze bij wijze van grapje.

Hij schudde zijn hoofd. 'Niets.'

'Ik meen het.'

'En ik meen het ook. Ik zou niets aan je uiterlijk willen veranderen.'

'Echt niet?'

Hij stak twee vingers op. 'Erewood van een scout.'

'Ben je vroeger scout geweest?'

'Nee.'

Ze lachte, maar voelde desondanks dat ze een kleur kreeg. 'Nou, dank je wel.'

'Niets te danken.'

Toen de kip klaar was schoof Adrienne hem in de oven, waarna ze de wekker zette en haar handen opnieuw waste. Paul spoelde de aardappels af en legde ze naast de gootsteen op het aanrecht.

'Wat nu?'

'In de koelkast liggen tomaten en komkommers voor de sla.'

Paul liep om haar heen, trok de koelkast open en vond ze. Adrienne kon zijn eau de cologne ruiken die in de ruimte tussen hen in was blijven hangen.

'Hoe was het om kind te zijn in Rocky Mount?' vroeg hij.

Adrienne wist aanvankelijk niet goed wat ze daarop moest zeggen, maar na een paar minuten koos ze voor het soort van gekeuvel dat haar vertrouwd was en waarmee ze zich prettig voelde. Ze vertelde over haar vader en moeder, ze sprak over het paard dat haar vader voor haar had gekocht toen ze twaalf was, en ze herinnerde zich de vele uren die ze er samen voor hadden gezorgd en hoe dat haar meer dan wat dan ook had geleerd wat het betekende om verantwoordelijkheden te hebben. Ze vertelde met weemoed over haar schooljaren, en hoe ze Jack in haar eerste studiejaar op een dispuutfeest was tegengekomen. Ze hadden twee jaar een vaste relatie, en toen ze trouwde ging ze ervan uit dat het voor de rest van haar leven zou zijn. Toen ze dat had gezegd, zweeg ze een poosje, schudde haar hoofd en bracht het gesprek weer op haar kinderen omdat ze het niet over de scheiding wilde hebben.

Terwijl ze vertelde maakte Paul de sla, en strooide hij er de croutons over die ze eerder had gekocht. Zo nu en dan stelde hij een vraag, juist voldoende om haar duidelijk te maken dat haar verhaal hem boeide. Haar geanimeerde gezicht toen ze over haar vader en haar kinderen sprak, deed hem glimlachen.

Het liep tegen de avond en de schaduwen in de keuken werden langer. Adrienne dekte de tafel terwijl Paul hun glazen bijschonk. Toen het eten klaar was, gingen ze aan tafel.

Onder het eten was het vooral Paul die aan het woord was. Hij vertelde over zijn jeugd op de boerderij, over de beproevingen van zijn studie, over de vele kilometers die hij dagelijks rende, en over zijn eerdere bezoeken aan de Outer Banks. Toen hij herinneringen aan zijn vader met haar deelde, overwoog ze hem te vertellen wat er met de hare aan de hand was, maar deed dat uiteindelijk toch maar niet. Jack en Martha kwamen slechts sporadisch ter sprake, en datzelfde gold voor Mark. Voor het merendeel hadden ze het alleen maar oppervlakkig over de dingen, en vooralsnog hadden ze geen van tweeën de behoefte om er dieper op in te gaan.

Tegen de tijd dat ze klaar waren met eten, was de harde wind afgenomen tot een bries, en balden de wolken zich samen in de stilte voor de storm. Paul zette de borden op het aanrecht terwijl Adrienne de restjes in de koelkast borg. De fles wijn was leeg, het was vloed geworden en aan de verre horizon waren de eerste bliksems te zien – de wereld buiten lichtte op alsof iemand foto's maakte in de hoop dat deze avond nooit vergeten zou worden.

Acht

———◆———

Nadat Paul haar met de afwas had geholpen, wees hij op de achterdeur.

'Heb je zin om een strandwandeling te gaan maken?' vroeg hij. 'Het lijkt een mooie avond.'

'Is het niet koud?'

'Vast wel, maar ik heb zo het gevoel dat dit voorlopig wel eens onze laatste kans zou kunnen zijn.'

Adrienne keek naar buiten. Ze zou binnen moeten blijven en de keuken verder opruimen, maar dat kon wachten, niet?

'Goed,' zei ze, 'even mijn jack halen.'

Adriennes kamer lag achter de keuken, in een ruimte die Jean er twaalf jaar geleden aan had laten bouwen. Het was de grootste kamer van het huis en de badkamer was gebouwd rond een grote jacuzzi. Jean nam er regelmatig een bad in, en altijd wanneer Adrienne haar belde wanneer ze een beetje down was, raadde Jean haar aan om dat ook te proberen omdat ze er zelf altijd zo van opkikkerde. 'Wat jij nodig hebt is een lang, heet en ontspannen bad,' zei ze dan, zonder erbij stil te staan dat er drie kinderen in huis waren die de badkamers altijd bezet hielden en dat Adrienne het zo druk had dat ze nauwelijks vrije tijd overhad.

Adrienne haalde haar jack uit de kast en pakte haar sjaal. Terwijl ze hem om haar hals wikkelde keek ze op de klok, en ze verbaasde zich erover dat de tijd zo snel voorbij was gegaan. Toen ze de keuken weer binnenging, stond Paul met zijn jas aan op haar te wachten.

'Ben je zover?' vroeg hij.

Ze zette de kraag van haar jack op. 'Kom mee, we gaan. Maar ik moet je waarschuwen, ik ben niet echt een fan van koud weer. Mijn zuidelijke bloed is een beetje aan de dunne kant.'

'We gaan niet lang, dat beloof ik je.'

Hij glimlachte terwijl ze naar buiten stapten, en Adrienne deed het buitenlicht van de veranda aan. Ze liepen naast elkaar over het lage duin naar het compacte zand langs het water.

Het was een mooie, haast exotische avond; de lucht was fris en de nevel proefde zout op hun lippen. Aan de horizon volgden de bliksems elkaar in hoog tempo op, waardoor de wolken net knipperlichten leken. Toen ze ernaar keek, zag ze dat Paul er ook naar keek. Het was net, dacht ze, alsof zijn ogen alles zagen.

'Heb je dat ooit wel eens eerder gezien? Zulke bliksems?' vroeg hij.

'Niet in de winter. In de zomer zie je het wel vaker.'

'Het komt doordat er twee fronten op elkaar stoten. Ik zag het op gang komen toen we zaten te eten, en ik begin het vermoeden te krijgen dat deze storm nog wel eens veel erger kan zijn dan ze voorspellen.'

'Ik hoop dat je je vergist.'

'Alles is mogelijk.'

'Maar je betwijfelt het.'

Hij haalde zijn schouders op. 'Laten we maar zeggen dat ik, als ik geweten had dat we dit weer zouden krijgen, geprobeerd zou hebben om mijn reservering te wijzigen.'

'Waarom?'

'Ik ben niet meer zo dol op stormen. Kun je je de orkaan Hazel nog herinneren, in 1954?'

'Ja, maar ik was toen nog wel heel erg jong. Toen de stroom thuis uitviel vond ik dat vooral heel spannend en ik was niet bang. En Rocky Mount is niet echt getroffen, of tenminste, onze buurt niet.'

'Je boft. Ik was toen eenentwintig en ik studeerde. Toen we hoorden dat hij op komst was, vonden een paar jongens van het veldloopteam het een goed idee om met een stel naar Wrightsville Beach te gaan en daar een orkaanparty te organiseren, zogenaamd om elkaar beter te leren kennen. Ik wilde niet gaan, maar aangezien ik de aanvoerder van het team was, werd ik er min of meer toe gedwongen.'

'Was dat niet de plek waar de orkaan aan land kwam?'

'Niet precies, maar het was er dicht bij in de buurt. Tegen de tijd dat we er aankwamen hadden de meeste mensen het eiland al verlaten, maar wij waren jong en stom, en we gingen naar het strand. In het begin was het nog wel leuk. We leunden om de beurt tegen de wind in en probeerden ons evenwicht te bewaren. We vonden het allemaal reuzespannend en begrepen niet waarom iedereen zich er zo over opwond. Maar na een paar uur was de wind veel te hard geworden voor spelletjes en kwam de regen met zulke vlagen omlaag, dat we besloten naar Durham terug te gaan. Alleen, we konden het eiland niet meer af. Toen het windkracht acht was geworden, hadden ze de bruggen afgesloten, en we zaten vast. En het ging steeds harder waaien. Tegen twee uur leek het eiland wel een oorlogsgebied. Bomen woeien omver, daken werden van de huizen gerukt en overal waar je keek vloog er wel iets rond dat in principe dodelijk zou kunnen zijn. En het lawaai! Je kunt je de herrie niet voorstellen. De regen beukte op de auto en toen kwam het hoogtepunt. Het was vloed en ook nog eens vollemaan, en ik heb nog nooit zulke enorme golven gezien. Gelukkig waren we redelijk ver van het strand, maar in de loop van de nacht hebben we vier huizen weg zien spoelen. En toen, toen we dachten dat het onmogelijk nog erger kon, begonnen de elektrische leidingen te knappen. We zagen de ene na de andere transformator exploderen, en een van de leidingen kwam vlak naast onze auto terecht. Het uiteinde bleef de rest van de nacht in de wind heen en weer slaan en bevond zich zo dichtbij dat we de vonken konden zien, en het heeft een paar keer maar dát gescheeld of de auto was erdoor geraakt. We hebben de rest van de nacht geen woord meer tegen elkaar gezegd. Het enige wat we nog konden, was bidden. Het was het stomste wat ik ooit heb gedaan.'

Adrienne was hem tijdens zijn verhaal strak aan blijven kijken.

'Je boft dat je het overleefd hebt.'

'Dat weet ik.'

Op het strand had het geweld van de golven schuim laten ontstaan dat eruitzag als het schuim in een kinderbad.

'Ik heb dat verhaal nog nooit eerder verteld,' voegde Paul er even later aan toe. 'Aan niemand, bedoel ik.'

'Waarom niet?'

'Omdat het... helemaal niets voor mij was. Ik had daarvoor nog nooit zoiets riskants gedaan, en daarna ook nooit meer. Het is bijna alsof het iemand anders is overkomen. Je kent me niet, dus het is moeilijk voor je om het te begrijpen. Ik was het type dat op vrijdagavond nooit uitging om vooral maar niet achterop te raken met mijn studie.'

Ze lachte. 'Dat geloof ik niet.'

'Het is echt waar. Ik ging nooit uit.'

Ze liepen over het harde zand en Adrienne keek naar de huizen achter de duinen. Nergens brandde licht, en Rodanthe leek wel een spookstadje.

'Mag ik je iets zeggen?' vroeg ze. 'Ik bedoel, ik zou niet willen dat je het verkeerd opvat.'

'Dat zal ik niet doen.'

Ze liepen een eindje verder terwijl Adrienne naar de juiste woorden zocht.

'Nou... het is alleen dat wanneer je over jezelf praat, het net lijkt alsof je het over iemand anders hebt. Je zegt dat je veel te hard werkte, maar mensen die dat doen verkopen hun praktijk niet om naar Ecuador te gaan. Je zei dat je geen onverantwoordelijke dingen deed, maar dan vertel je me een verhaal waarin je dat wel hebt gedaan. Ik begrijp het niet zo goed.'

Paul aarzelde. Hij hoefde geen verantwoording af te leggen, niet aan haar, niet aan wie dan ook, maar terwijl hij op deze koude januariavond zo onder de lichtende avondhemel liep, realiseerde hij zich opeens dat hij wilde dat ze hem zou kennen – écht zou kennen, met al zijn tegenstrijdigheden.

'Je hebt gelijk,' begon hij, 'want ik heb het ook over twee mensen. Vroeger was ik Paul Flanner, de keihard studerende jongen die arts wilde worden. De man die dag en nacht werkte. Of Paul Flanner, de echtgenoot en vader met het grote huis in Raleigh. Maar nu ben ik al die dingen niet meer. Nu probeer ik er alleen maar achter te komen wie Paul Flanner in werkelijkheid is, en, om eerlijk te zijn, begin ik me af te vragen of ik daar wel ooit achter zal komen.'

'Ik geloof dat iedereen dat zo wel eens voelt. Maar er zijn vast niet veel mensen die zich op grond daarvan geroepen voelen om naar Ecuador te verhuizen.'

'Denk je dat ik dáárom ga?'

Ze liepen een poosje in stilte tot Adrienne hem aankeek. 'Nee,' zei ze, 'ik denk dat je gaat omdat je je zoon wilt leren kennen.'

Adrienne zag zijn verbaasde gezicht.

'Zo moeilijk was dat niet te begrijpen,' zei ze. 'Je hebt de hele avond nauwelijks over hem gesproken. Maar als je denkt dat het helpt, dan ben ik blij dat je gaat.'

Hij glimlachte. 'Nou, dan ben je de eerste. Zelfs Mark was niet echt opgetogen toen ik hem van mijn plan vertelde.'

'Daar komt hij wel overheen.'

'Denk je?'

'Dat hoop ik. Dat hou ik mezelf altijd voor wanneer ik problemen met de kinderen heb.'

Paul lachte kort en wees over zijn schouder. 'Zullen we teruggaan?'

'Ik hoopte al dat je dat zou zeggen. Ik begin koude oren te krijgen.'

Ze keerden en volgden hun eigen voetstappen terug. Hoewel de maan zelf niet zichtbaar was, lieten de wolken boven hun hoofd een zilveren licht door. In de verte hoorden ze het eerste rommelen van de donder.

'Wat was je ex-man voor iemand?'

'Jack?' Ze aarzelde en vroeg zich af of ze zou moeten proberen om van onderwerp te veranderen, maar besloot toen dat het er niet toe deed. Aan wie zou hij het vertellen? 'In tegenstelling tot jou,' zei ze ten slotte, 'denkt Jack dat hij zichzelf al heeft gevonden. En toevallig was dat, tijdens ons huwelijk, met iemand anders.'

'Wat afschuwelijk voor je.'

'Ja, dat was het. Intussen ben ik aan het idee gewend. Ik probeer er niet aan te denken.'

Paul herinnerde zich de tranen die hij eerder had gezien. 'En lukt dat?'

'Nee. Maar ik blijf het proberen. Ik bedoel, wat kan ik anders?'

'Je zou altijd nog naar Ecuador kunnen gaan.'

Ze rolde met haar ogen. 'Ja hoor, als dat zou kunnen! Ik zie het al helemaal voor me. Ik kom thuis en zeg: "Sorry, jongens, maar van nu af aan zullen jullie het alleen moeten doen. Mam gaat er een tijdje van tussen."' Ze schudde haar hoofd. 'Nee, voorlopig zit ik nog goed vast. In ieder geval tot ze allemaal studeren. Op dit moment hebben ze zo veel mogelijk stabiliteit nodig.'

'Zo te horen ben je een goede moeder.'

'Ik doe mijn best. Maar mijn kinderen denken er wel eens anders over.'

'Bekijk het zo – zodra ze eenmaal hun eigen kinderen hebben zal je wraak zoet zijn.'

'O, en dat ben ik ook van plan! Ik heb al geoefend. Hebben jullie zin in een zak chips voor het avondeten? Nee, natuurlijk hoeven jullie je kamer niet op de ruimen. O ja, natuurlijk mogen jullie tot elf uur opblijven...'

Paul glimlachte opnieuw, en hij realiseerde zich hoezeer hij van dit gesprek genoot. Hoezeer hij van haar genoot. In het zilveren licht van de naderende storm zag ze er beeldschoon uit, en hij vroeg zich af hoe haar man haar in de steek had kunnen laten.

Ze liepen langzaam terug naar het huis. Ze waren beiden in gedachten verzonken terwijl ze de geluiden en het landschap op zich in lieten werken, en hadden geen behoefte aan praten.

Daar ging een bepaalde troost van uit, vond Adrienne. Er waren te veel mensen die meenden dat stilte een gat was dat gevuld moest worden, zelfs als er niets belangrijks te zeggen viel. Daarvan had ze meer dan genoeg meegemaakt op de vele cocktailparty's waar ze met Jack naar toe was geweest. Haar favoriete moment was altijd geweest wanneer ze op een onbewaakt ogenblik even weg had gekund en een paar minuten op een stille veranda had kunnen staan. Soms zag ze wel eens iemand anders die ook was gevlucht, iemand die ze niet kende, en wanneer ze elkaar dan opmerkten, knikten ze elkaar toe alsof ze een stilzwijgende afspraak maakten. *Geen vragen, geen nietszeggend gebabbel... afgesproken.*

Hier, op het strand, had ze dat gevoel opnieuw. De avond voelde verfrissend, de bries speelde door haar haren en wreef haar huid. Voor haar, op het zand, bewogen en verschoven hun schaduwen, vervormden zich tot haast onherkenbare beelden, en verdwenen vervolgens uit het zicht. De zee leek een massa kolkende, vloeibare kolen. Paul, wist ze, nam al die dingen eveneens in zich op; hij scheen zich ook te realiseren dat, als ze nu zouden praten, de stemming bedorven zou zijn.

Ze liepen zwijgend verder, en Adrienne was er met elke stap zekerder van dat ze meer tijd met hem wilde doorbrengen. Maar zo vreemd was dat niet, of wel? Hij was eenzaam en zij ook – eenzame reizigers die genoten van het verlaten strand van een dorpje aan zee dat Rodanthe heette.

— ·◆· —

Toen ze bij het huis waren gekomen, gingen ze de keuken binnen en trokken hun jack uit. Adrienne hing het hare, samen met haar sjaal, aan de kapstok achter de deur. Paul hing het zijne ernaast.

Adrienne drukte haar handen tegen elkaar en blies erdoorheen, en ze zag Paul eerst op de klok, en toen om zich heen kijken, alsof hij zich afvroeg of het al tijd was om naar boven te gaan.

'Heb je zin in iets warms?' haastte ze zich aan te bieden. 'Ik zou een pot cafeïnevrije koffie kunnen zetten.'

'Heb je thee?' vroeg hij.

'Ik geloof dat ik eerder iets heb gezien. Laat me even kijken.'

Ze liep naar het aanrecht, trok het kastje erboven open, schoof de levensmiddelen die erin stonden wat heen en weer, en was blij dat ze nog wat tijd samen zouden kunnen doorbrengen. Op de tweede plank vond ze een doosje Earl Grey, en toen ze zich omdraaide om het aan hem te laten zien, knikte hij met een glimlach. Ze liep langs hem heen om de ketel te pakken, en terwijl ze hem met water vulde was ze zich bewust van het feit dat ze erg dicht bij elkaar stonden. Toen het water kookte, schonk ze twee mokken in en gingen ze naar de zitkamer.

Ze gingen weer op de schommelstoelen zitten, hoewel de sfeer in de kamer, nu de zon onder was, veranderd was. Bij donker leek het er zo mogelijk nog stiller, nog intiemer.

Ze dronken hun thee, spraken nog een uur over ditjes en datjes – een ontspannen en vloeiend gesprek tussen oppervlakkige vrienden. Maar na enige tijd voelde Adrienne zich zo op haar gemak met hem, dat ze hem over haar vader, en over haar angst voor de toekomst begon te vertellen.

Paul kende dit soort verhalen; voor een arts waren dit soort geschiedenissen geen nieuwtje. Maar tot op dit moment waren ze niet meer dan alleen maar dát voor hem geweest – verhalen. Zijn ouders leefden niet meer en die van Martha waren gezond en fit en woonden in Florida. Bij het zien van Adriennes gezicht, realiseerde hij zich ineens dat hij blij was dat hij zelf niet met een dergelijk dilemma geconfronteerd werd.

'Kan ik je ergens mee helpen?' bood hij aan. 'Ik ken een heleboel specialisten die bereid zouden zijn om zijn conditie te bekijken om te zien of er iets voor hem gedaan kan worden.'

'Dank je voor het aanbod, maar dat heb ik allemaal al gedaan. Met zijn laatste beroerte is hij echt zwaar achteruitgegaan. Zelfs als er iets voor hem gedaan zou kunnen worden, denk ik nog niet dat hij het zonder vierentwintig uur verzorging zou kunnen stellen.'

'Wat ben je van plan?'

'Geen idee. Ik hoop dat Jack van gedachten zal veranderen en alsnog zal besluiten om me wat extra te geven voor de verzorging van mijn vader, en misschien doet hij dat wel. Hij en mijn vader hebben gedurende een tijdje een hele nauwe band gehad. Maar zo niet, dan zal ik op zoek moeten gaan naar een volle baan, want anders kan ik het allemaal niet betalen.'

'Kan de staat niet helpen?'

Hij had het nog niet gezegd, of hij wist al wat ze zou antwoorden.

'Misschien dat hij in aanmerking komt voor hulp, maar de goede verpleeghuizen hebben enorme wachtlijsten, en voor de meeste moet ik bovendien een paar uur rijden, en dat betekent weer dat ik hem niet elke dag kan bezoeken. En de minder goede verpleeghuizen? Dat kan ik hem niet aandoen.'

Ze zweeg, en haar gedachten schoten heen en weer tussen het verleden en het heden. 'Toen hij met pensioen ging,' zei ze ten slotte, 'hebben ze op de fabriek een feestje voor hem gegeven, en ik dacht dat hij zijn werk zou missen. Hij was daar als jongen van vijftien begonnen, en in al die jaren dat hij voor ze heeft gewerkt, is hij maar twee dagen ziek geweest. Ik heb het ooit eens uitgerekend – als je alle uren die hij daar gewerkt heeft bij elkaar optelt, heeft hij er vijftien jaar van zijn leven doorgebracht. Maar toen ik hem ernaar vroeg, zei hij dat hij zijn werk helemaal niet zou missen, en dat hij, nu hij niet meer hoefde, grootse plannen had.'

Adriennes gezicht verzachtte. 'Wat hij bedoelde was dat hij van plan was om dingen te gaan doen die hij wílde doen, in plaats van dingen die een verplichting waren. Tijd doorbrengen met mij, met de kleinkinderen, met zijn boeken en met zijn vrienden. En dat had hij echt wel verdiend, een paar ontspannen jaren na alles wat hij achter de rug had, maar toen...' Ze maakte haar zin niet af en keek Paul aan. 'Je zou hem mogen, als je hem zou kennen. Zelfs nu nog.'

'Dat weet ik zeker. Maar zou hij mij ook mogen?'

Adrienne glimlachte. 'Mijn vader vindt iedereen aardig. Voor zijn beroertes vond hij niets zo heerlijk als naar mensen luisteren om ze beter te leren kennen. Hij had een oneindig geduld, en daarom vertelde iedereen hem altijd alles. Zelfs mensen die hem helemaal niet kenden. Ze vertelden hem dingen die ze nooit aan iemand anders zouden vertellen omdat ze wisten dat anderen niet te vertrouwen waren.' Ze aarzelde. 'En zal ik je eens zeggen wat ik me vooral van hem herinner?'

Paul trok zijn wenkbrauwen op.

'Iets wat hij altijd, van kind af aan, tegen me zei. Het maakte niet uit hoe goed of hoe slecht ik iets had gedaan, of hoe vrolijk of verdrietig ik was, hij omhelsde me altijd en zei: "Ik ben trots op je."'

Ze was even stil. 'Ik weet niet wat er zo speciaal aan die woorden is, maar ik voelde me er altijd door ontroerd. Ik moet ze duizenden keren hebben gehoord, maar telkens wanneer hij dat zei, gaf hij me het gevoel dat hij, wát er ook zou gebeuren, altijd van me zou houden. En het is ook grappig, want naarmate ik ouder werd, maakten we er grapjes over. Maar zelfs toen nog, wanneer ik wegging, zei hij het altijd weer, en ik werd er altijd weer even sentimenteel van.'

Paul glimlachte. 'Zo te horen is hij een bijzondere man.'

'Dat is hij inderdaad,' zei ze, en ze ging wat rechterop zitten. 'En daarom zal ik er ook voor zorgen dat er een oplossing komt en dat hij kan blijven waar hij is. Er is geen betere plek voor hem. Het is dicht bij huis, en niet alleen krijgt hij er een uitstekende verzorging, hij wordt er als mens behandeld, en niet als een patiënt. Dat heeft hij verdiend, en het is het minste dat ik voor hem kan doen.'

'Hij boft met zo'n dochter als jij, die het beste met hem voorheeft.'

'Ik bof ook.' Ze keek naar de muur en haar ogen werden wazig. Ineens, toen ze besefte wat ze had gezegd, schudde ze haar hoofd. 'En ik zit maar te kletsen en te kletsen. Het spijt me.'

'Het hoeft je niet te spijten. Ik ben blij dat je me dat allemaal hebt verteld.'

Ze glimlachte en boog zich een beetje naar voren. 'Wat mis jij het meeste aan getrouwd zijn?'

'Begrijp ik het goed, en betekent dit dat je van onderwerp wilt veranderen?'

'Ik vind dat het jouw beurt is om te vertellen.'

'Bij wijze van ruil?'

Ze haalde haar schouders op. 'Zoiets. Nou ik mijn hart heb uitgestort, is het jouw beurt.'

Paul slaakte een gespeelde zucht en keek omhoog naar het plafond. 'Goed, wat ik mis.' Hij zette zijn handen tegen elkaar. 'De wetenschap dat er iemand thuis is wanneer ik van mijn werk kom. Ik kwam meestal pas erg laat thuis, en soms lag Martha al in bed. Maar het besef dat ze er was had iets natuurlijks en geruststellends, alsof alles was zoals het hoorde te zijn. En jij?'

Adrienne zette haar theekop op het tafeltje tussen hen in.

'De gewone dingen. Iemand om mee te praten, om samen mee te eten, die vluchtige kussen na het opstaan voor we onze tanden hadden gepoetst. Maar in alle eerlijkheid maak ik me ten aanzien van de kinderen meer zorgen over wat zij missen, dan wat mijzelf betreft. Omwille van hen mis ik Jack in huis. Ik geloof dat kinderen zolang ze nog jong zijn meer behoefte hebben aan hun moeder, maar zodra ze in de tienerleeftijd zijn, hebben ze hun vader nodig. En vooral meisjes. Ik wil niet dat mijn dochter gaat denken dat alle mannen schoften zijn die hun gezin in de steek laten, maar hoe moet ik haar dat bijbrengen als ze dat voorbeeld van haar vader heeft gekregen?'

'Geen idee.'

Adrienne schudde haar hoofd. 'Staan mannen stil bij dat soort dingen?'

'De goede wel, zoals met alles.'

'Hoe lang ben je getrouwd geweest?'

'Dertig jaar. En jij?'

'Achttien.'

'Nou, dan zou je toch van ons mogen veronderstellen dat we het intussen doorhebben, niet?'

'Wat? Het geheim van ze leefden nog lang en gelukkig? Daar geloof ik niet meer in.'

'Nee, ik eigenlijk ook niet.'

De klok op de gang begon het uur te slaan. Toen het weer stil was, masseerde Paul zijn nek die nog steeds wat stijf was van de lange rit. 'Ik geloof dat ik er maar eens in kruip. Morgenochtend is het weer vroeg dag.'

'Ja,' was ze het met hem eens. 'Dat dacht ik ook net.'

Maar in plaats van meteen op te staan, bleven ze nog even bij elkaar zitten in dezelfde soort stilte als ze op het strand hadden gedeeld. Van tijd tot tijd keek hij haar even aan, maar voor ze hem daarop kon betrappen, wendde hij altijd net weer zijn blik af.

Adrienne stond met een zucht op en wees op zijn theekop. 'Die kan ik naar de keuken brengen. Ik ga toch die kant op.'

Hij glimlachte en gaf hem aan haar. 'Ik vond het erg gezellig vanavond.'

'Ik ook.'

Het volgende moment keek ze Paul na terwijl hij de trap op liep, waarna ze zich omdraaide en alles afsloot voor de nacht.

In haar kamer kleedde ze zich uit en maakte ze haar koffer open om haar pyjama eruit te halen. Terwijl ze dat deed ving ze een glimp van zichzelf op in de spiegel. Niet slecht, maar in alle eerlijkheid moest ze erkennen dat ze er niet jonger uitzag dan ze was. Desalniettemin was het toch lief geweest van Paul, om te zeggen dat ze niets aan haar uiterlijk hoefde te veranderen.

Ze kon zich niet herinneren wanneer iemand haar voor het laatst het gevoel had gegeven dat ze aantrekkelijk was.

Ze trok haar pyjama aan en kroop in bed. Jean had een stapel tijdschriften op het nachtkastje gelegd, en ze bladerde er een aantal door alvorens het licht uit te doen. In het donker kon ze aan niets anders denken dan aan de afgelopen avond. Keer op keer liep ze de gesprekken in gedachten na; ze zag weer voor zich hoe zijn mondhoeken omhoogkwamen wanneer ze iets zei wat hij amusant vond. Ze lag een uur lang te woelen en te draaien en kon de slaap niet vatten, en ondertussen had ze er geen idee van dat het Paul Flanner, in de kamer boven, precies zo verging.

Negen

Hoewel Paul de luiken had gesloten en de gordijnen had dichtgetrokken om het licht buiten te houden, ontwaakte hij vrijdagochtend met het eerste ochtendgloren. Hij nam uitgebreid de tijd om al zijn stijve en pijnlijke spieren te rekken.

Even later duwde hij de luiken open en bekeek de nieuwe dag. Er lag een dichte nevel boven de zee en de lucht was donkergrijs. Dikke stapelwolken trokken, parallel aan de kust, in hoog tempo langs de hemel. De storm zou voor het invallen van de avond hier zijn, dacht hij, en waarschijnlijk al halverwege de middag.

Hij ging op de rand van het bed zitten en trok zijn hardloperstenue aan met een regenjack eroverheen. Uit de la haalde hij een extra paar sokken die hij over zijn handen deed. Toen hij beneden was gekomen, keek hij om zich heen. Adrienne was nog niet op. Hij voelde zich teleurgesteld, en vroeg zich vervolgens af waarom hem dat eigenlijk iets kon schelen. Hij deed de deur van het slot, ging naar buiten en zette om te beginnen een laag tempo in om zijn spieren te warmen.

Adrienne was in haar kamer toen ze hem de trap af hoorde komen. Ze ging zitten, sloeg de dekens terug, stak haar voeten in haar sloffen en vond het jammer dat ze geen koffie voor Paul klaar had staan toen hij beneden was gekomen. Het was nog maar de vraag of hij daar voor het lopen behoefte aan zou hebben gehad, maar ze had het hem in ieder geval kunnen aanbieden.

Buiten had Paul zijn spieren en gewrichten losgemaakt, en hij verhoogde zijn tempo. Zijn snelheid haalde het niet bij die welke hij had gehaald toen hij in de twintig of dertig was geweest, maar het regelmatige ritme van zijn passen had een verkwikkende uitwerking op zijn lichaam en geest.

Het lopen was altijd meer voor hem geweest dan alleen maar lichaamsbeweging. Hij had het punt bereikt waarop het lopen op zichzelf hem totaal moeiteloos af leek te gaan – het kostte hem even weinig energie om tien kilometer te rennen als om de krant te lezen. Voor hem was het lopen dan ook eerder een vorm van meditatie, een van de weinige momenten waarop hij alleen kon zijn.

Het was een heerlijke ochtend om te lopen. Hoewel het in de loop van de nacht had geregend en hij de druppels op de autoruiten kon zien, moest de bui snel zijn overgewaaid want de meeste wegen waren al droog. De nevel

118

was nog niet helemaal opgetrokken, en enkele slierten strekten zich, als in een optocht van spoken, uit van het ene huisje naar het volgende. Hij zou liever over het strand hebben gelopen omdat hij daar niet vaak de kans toe had, maar hij had besloten om deze loop in plaats daarvan te gebruiken om te kijken waar Robert Torrelson woonde. Hij rende via de snelweg het stadje in, sloeg even later rechtsaf en bleef staan om de omgeving in zich op te nemen.

Rodanthe bleek precies dat te zijn wat hij zich ervan had voorgesteld, een oud vissersdorp langs de kust, een plaats waar het moderne leven moeite had om echt door te dringen. Elk huis was van hout, en hoewel het ene beter onderhouden was dan het andere, en ze allemaal een klein tuintje hadden waar in het voorjaar de bollen zouden bloeien, was aan alles te zien dat het leven zo dicht aan zee niet gemakkelijk was. Zelfs de huizen die nog maar zo'n jaar of tien oud waren, hadden al zichtbaar onder het klimaat geleden. Hekken en brievenbussen waren aangetast door het weer, de verf was afgebladderd en de zinken daken vertoonden lange, brede strepen roest. In de voortuinen bevonden zich voorwerpen die kenmerkend waren voor het dagelijks bestaan in dit gebied: roeiboten, kapotte buitenboordmotoren, visnetten met een decoratieve functie, en touwen en kettingen om vreemdelingen op een afstand te houden.

Sommige huizen waren nauwelijks meer dan krotten en de wanden zagen eruit alsof ze met de eerste de beste harde windvlaag omvergeblazen zouden kunnen worden.

119

Hier en daar waren de veranda's verrot en ingezakt, en werden ze met betonblokken of bakstenen ondersteund om te voorkomen dat ze het helemáál zouden begeven.

Maar er was leven in het dorp, zelfs op dit vroege uur, en zelfs in de huizen die eruitzagen alsof ze verlaten waren. Hij rende door de straten en zag rook uit de schoorstenen komen, en mannen en vrouwen die druk doende waren platen multiplex voor de ramen te timmeren. Overal in het dorp klonk het geluid van gehamer.

Hij sloeg nogmaals rechtsaf, keek op het straatnaambordje, en rende verder. Enkele minuten later vond hij de straat waar Robert Torrelson woonde. Robert Torrelson, wist hij, woonde op nummer vierendertig.

Paul passeerde nummer achttien, en nummer twintig, en hij keek verder vooruit. Een paar bewoners staakten hun werk en sloegen hem met enige achterdocht gade. Even later was hij bij het huis van Robert Torrelson, dat hij passeerde in een poging er niet ál te opvallend naar te kijken.

Het huis onderscheidde zich nauwelijks van de meeste andere huizen in de straat: niet bepaald goed onderhouden, maar zeker ook geen krot. Het zat er een beetje tussenin – een soort van schaakmat tussen mens en natuur in hun strijd om het huis. Het was, schatte Paul, zeker een jaar of vijftig oud, gelijkvloers en had een zinken dak. Aangezien het dak niet over goten beschikte, was de regen van duizenden buien langs de buitenmuren omlaaggestroomd, waardoor de witte verf onder de grauwe strepen zat. Op de veranda stonden twee, schuin naar elkaar toe gedraaide schommelstoelen. Rond de ramen hing een enkel snoer kerstverlichting.

In de achtertuin stond een kleine, aangebouwde schuur waarvan de deuren openstonden. Paul zag twee werkbanken vol met visnetten, vishengels, kistjes en gereedschap. Tegen de muur stonden twee werpankers geleund, en hij zag, vlak achter de deur, een geel regenjack aan de kapstok hangen. Op dat moment kwam er, vanuit het duistere interieur, een man naar buiten die een emmer droeg.

Paul had de man niet verwacht, en hij wendde zich snel af, vóórdat deze hem op zijn gegluur kon betrappen. Het was nog te vroeg voor een bezoek, en bovendien wilde hij dat ook niet in zijn joggingkleren doen. In plaats daarvan hief hij zijn kin op tegen de bries, ging de volgende hoek om en probeerde zijn eerdere tempo terug te vinden.

Dat viel niet mee. Het beeld van de man bleef hem bij en had een vertragende uitwerking op zijn ritme. Het was net alsof elke nieuwe stap zwaarder woog dan de voorgaande. Ondanks de kou was zijn gezicht, tegen de tijd dat hij terug was bij het hotel, nat van het zweet.

Hij legde de laatste vijftig meter lopend af en liet zijn benen afkoelen. Vanaf de weg zag hij licht in de keuken branden.

Hij wist wat dat betekende, en hij glimlachte.

———•———

Tijdens Pauls afwezigheid was Adrienne gebeld door de kinderen. Ze had een paar minuten met elk van hen gesproken en was blij te horen dat ze het gezellig hadden bij hun vader. Een poosje later, op het hele uur, belde ze het verpleeghuis.

Hoewel haar vader niet zelf aan de telefoon kon komen, had ze het zo geregeld dat Gail, een van de verpleegsters, namens hem zou antwoorden, en ze nam op nadat de telefoon voor de tweede keer was overgegaan.

'Precies op tijd,' zei Gail. 'Ik zei net tegen je vader dat je elk moment zou kunnen bellen.'

'Hoe gaat het vandaag met hem?'

'Hij is een beetje moe, maar afgezien daarvan gaat het goed met hem. Wacht even, dan hou ik de telefoon bij zijn oor.'

Het volgende moment, toen ze de hese ademhaling van haar vader hoorde, sloot ze haar ogen.

'Hallo, pappie,' begon ze, en gedurende enkele minuten vertelde ze hem ditjes en datjes, zoals ze ook gedaan zou hebben als ze aan zijn bed had gezeten. Ze vertelde hem over het hotel en het strand, over de opkomende storm en de bliksem, en hoewel ze niets over Paul zei, vroeg ze zich af of haar vader dezelfde trilling in haar stem bespeurde als zijzelf, wanneer ze tussen de regels door in gedachten over hem vertelde.

Paul liep de stoep op en ging naar binnen, waar hij begroet werd door de geur van gebraden bacon. Het volgende moment kwam Adrienne door de klapdeurtjes de gang op.

Ze droeg een spijkerbroek en een lichtblauwe trui die de kleur van haar ogen benadrukte. In het ochtendlicht leken ze bijna turkoois, en ze deden hem denken aan kristalheldere voorjaarsluchten.

'Je was vroeg op,' zei ze, een losse piek achter haar oor duwend.

Paul, die het gebaar onverwacht sensueel vond, veegde het zweet van zijn voorhoofd. 'Ja, ik wilde gelopen hebben alvorens aan de rest van de dag te beginnen.'

'Heb je ervan genoten?'

'Ik heb me wel eens beter gevoeld, maar ik heb het tenminste achter de rug.' Hij verplaatste zijn gewicht van zijn ene op zijn andere voet. 'En, tussen twee haakjes, het ruikt hier zalig.'

'Ik ben ondertussen vast aan het ontbijt begonnen.' Ze wees over haar schouder. 'Wil je nu al eten, of een beetje later?'

'Als je het niet erg vindt, wil ik liever eerst even douchen.'

'Uitstekend. Ik had griesmeel willen maken, en daar heb ik toch twintig minuten voor nodig. Hoe wil je je eieren?'

'Roerei?'

'Dat moet lukken.' Ze zweeg om zo lang mogelijk van zijn open blik te kunnen genieten. 'Ik moet terug naar de bacon, want anders verbrandt hij nog,' zei ze ten slotte. 'Zie ik je zo?'

'Ja, ja.'

Nadat Paul haar had nagekeken tot ze achter de klapdeurtjes was verdwenen, ging hij naar boven. Hoofd-schuddend bedacht hij hoe lief ze eruit had gezien. Hij kleedde zich uit, spoelde zijn shirt uit in de wastafel, hing dat over de stang van het douchegordijn en draaide de kraan open. Zoals Adrienne al had gezegd, duurde het inderdaad een poos tot het warme water er was.

Hij nam een douche, schoor zich, trok zijn nieuwe Dockers, een overhemd en instappers aan, en ging weer naar beneden. Adrienne was nog steeds in de keuken, waar ze de tafel had gedekt en er juist de laatste twee schaaltjes op zette – de ene met toast, de andere met schijfjes fruit. Toen Paul langs haar heen stapte, ving hij een vleug op van de jasmijnshampoo die ze die ochtend had gebruikt.

'Ik hoop dat je het niet erg vindt dat ik alweer met je mee-eet,' zei ze.

Paul schoof haar stoel voor haar af. 'Helemaal niet. Sterker nog, ik hoopte al dat je dat zou doen. Ga zitten.' Hij wees op de stoel.

Ze liet zich door hem aanschuiven en keek naar hem toen hij zelf ook ging zitten. 'Ik heb geprobeerd ergens een krant voor je te vinden,' zei ze, 'maar toen ik bij de winkel kwam waren ze allemaal al uitverkocht.'

'Dat verbaast me niets. Er waren een heleboel mensen op straat vanochtend. Ik vermoed dat iedereen zich afvraagt hoe erg het vandaag zal worden.'

'Het ziet er niet dreigender uit dan gisteren.'

'Alleen maar omdat je hier niet woont.'

'Jij woont hier ook niet.'

'Nee, maar ik heb eerder noodweer meegemaakt. Heb

ik je wel eens verteld over die keer toen ik als student naar Wilmington ben gegaan...'

Adrienne lachte. 'En je zei nog wel dat je dat verhaal nog nooit aan iemand had verteld.'

'Ik denk dat het me nu, nu het ijs gebroken is, gemakkelijker afgaat. En het is mijn enige interessante verhaal. De rest is saai.'

'Dat betwijfel ik. Te oordelen naar wat je me verteld hebt, lijkt jouw leven me allesbehalve saai.'

Hij glimlachte, en ofschoon hij niet wist of ze dat als een compliment bedoeld had of niet, deden haar worden hem toch goed.

'Wat had Jean gezegd dat er vandaag moest gebeuren?'

Adrienne nam wat van het ei, en gaf de kom aan hem.

'Nou, alles wat er aan meubels op de veranda's staat, moet in de schuur worden gezet. De ramen moeten dicht, en de luiken moeten vanbinnen op de haak. En dan moeten de voorzetluiken voor de ramen. Ze zei dat dat makkelijk te doen was en dat er klemmen zijn om de boel mee op de plaats te houden. En daarna wordt alles, als extra versteviging, nog eens met latjes vastgezet. En volgens haar moeten we die bij de voorzetluiken kunnen vinden.'

'Ik hoop dat ze een ladder heeft.'

'Die ligt ook onder het huis.'

'Het klinkt niet al te gecompliceerd. Maar, zoals ik gisteren al zei, wil ik je er straks, zodra ik terug ben, graag mee helpen.'

Ze keek hem aan. 'Weet je dat zeker? Je hoeft het echt niet te doen, hoor.'

'Het is geen moeite. En ik heb trouwens verder geen plannen. Bovendien zou ik nooit rustig binnen kunnen zitten in de wetenschap dat jij al dat zware werkt loopt te doen. Ik zou me verschrikkelijk schuldig voelen, ook al ben ik dan de gast.'

'Dank je.'

'Niets te danken.'

Ze hadden hun borden opgeschept, de koffie was ingeschonken, en ze begonnen te eten. Paul observeerde haar terwijl ze een toastje pakte en er boter op smeerde, en daar even helemaal in op leek te gaan. Ze was knap in het grauwe ochtendlicht, zelfs nog knapper dan hij haar de vorige dag had gevonden.

'Ga je vandaag praten met die man over wie je gisteren vertelde?'

Paul knikte. 'Na het ontbijt,' zei hij.

'Je klinkt niet alsof je je daarop verheugt.'

'Ik weet ook niet of ik me erop moet verheugen.'

'Hoezo?'

Na een korte aarzeling vertelde hij haar over Jill en Robert Torrelson – de operatie, de autopsie en alles wat er daarna was gebeurd, met inbegrip van het briefje dat hij per post had ontvangen. Toen hij klaar was, zat ze hem aandachtig op te nemen.

'En je hebt geen idee wat hij wil?'

'Ik neem aan dat het iets met de rechtszaak te maken heeft.'

Daar was Adrienne niet zo zeker van, maar ze zei niets. In plaats daarvan pakte ze haar koffie.

'Wat ook de reden mag zijn, volgens mij is het goed wat je doet. Precies zoals ten aanzien van die situatie met Mark.'

Hij zei niets terug, maar dat hoefde ook niet. Het feit dat ze het begreep was al meer dan voldoende.

Meer verlangde hij tegenwoordig niet van de mensen om hem heen, en hoewel ze elkaar nog maar pas de vorige dag hadden ontmoet, had hij het idee dat ze hem op een bepaalde manier beter kende dan de meesten.

Of misschien, dacht hij, had níemand hem nog wel zo goed begrepen.

Tien

—◆—

Na het ontbijt stapte Paul in zijn auto, en haalde de sleutels uit zijn jaszak. Adrienne stond op de veranda naar hem te zwaaien, net alsof ze hem succes wenste. Het volgende moment keek Paul over zijn schouder en reed achteruit de oprit af.

Enkele minuten later reed hij Torrelsons straat in. Hij had lopend kunnen gaan, maar hij wist niet hoe snel het weer zou verslechteren en had geen zin om een bui op zijn hoofd te krijgen. En als het gesprek scheef liep, wilde hij ook snel weg kunnen gaan. Hoewel hij niet precies wist wat hij moest verwachten, besloot hij Torrelson alles over de operatie te vertellen, maar niet stil te staan bij wat de dood van zijn vrouw veroorzaakt zou kunnen hebben.

Hij nam gas terug, parkeerde de auto langs de stoep en zette de motor af. Nadat hij even de tijd had genomen om zich op het gesprek te bezinnen, stapte hij uit en liep het pad af. Een buurman stond op de ladder en was bezig een stuk multiplex voor een raam te timmeren. Hij keek naar Paul en probeerde te bedenken wie hij was. Paul negeerde zijn starende blik, kwam bij Torrelsons deur, klopte aan en deed een stapje naar achteren om zichzelf wat ruimte te geven.

Toen er niemand open kwam doen, klopte hij opnieuw, en nu luisterde hij of hij binnen iets hoorde. Niets. Hij liep naar de hoek van de veranda. Hoewel de deuren van de schuur nog steeds openstonden, zag hij niemand. Hij overwoog te roepen, maar besloot dat toen toch maar niet te doen. In plaats daarvan liep hij terug naar zijn auto en deed de kofferbak open. Hij pakte zijn doktersstas, haalde er een pen uit en scheurde een velletje van een van de blocnotes die hij erin had zitten.

Hij schreef zijn naam op, en waar hij logeerde, en zette erbij dat hij tot dinsdagochtend hier zou zijn voor het geval Robert hem nog steeds wilde spreken. Toen vouwde hij het papiertje dubbel, keerde ermee terug naar de voordeur en schoof het tussen de deur en het kozijn. Nadat hij zich ervan overtuigd had dat het stevig klem zat en niet weg zou waaien, keerde hij opnieuw terug naar de auto. Hij voelde zich zowel opgelucht als teleurgesteld, maar net toen hij weer in wilde stappen, hoorde hij achter zich een stem.

'Kan ik iets voor u doen?'

Toen Paul zich omdraaide herkende hij de man die bij het huis stond niet. Hoewel hij zich niet kon herinneren hoe Robert Torrelson eruitzag – zijn gezicht was er één van duizenden – wist hij dat hij deze man nog nooit eerder had gezien. Hij was jong, ergens in de dertig, mager, met dun zwart haar, en hij droeg een sweatshirt en een werkbroek. Hij keek Paul aan met dezelfde achterdocht als waarmee de buurman hem eerder had opgenomen.

Paul schraapte zijn keel. 'Ja,' zei hij. 'Ik ben op zoek naar Robert Torrelson. Ik geloof dat hij hier woont, klopt dat?'

De jongeman knikte, maar er veranderde niets aan zijn gezichtsuitdrukking. 'Ja, hij woont hier. Hij is mijn vader.'

'Is hij thuis?'

'Bent u van de bank?'

Paul schudde zijn hoofd. 'Nee. Mijn naam is Paul Flanner.'

Het duurde even voor de jongen de naam herkend had. Hij vernauwde zijn ogen.

'De dokter?'

Paul knikte. 'Je vader heeft me een briefje gestuurd waarin hij schreef dat hij me wilde spreken.'

'Waarover?'

'Dat weet ik niet.'

'Hij heeft me niets van dat briefje verteld.' Terwijl hij dat zei begonnen zijn kaakspieren te werken.

'Zou je hem willen zeggen dat ik hier ben?'

De jongeman haakte zijn duim achter de riem van zijn broek. 'Hij is er niet.'

Terwijl hij dat zei, wierp hij een snelle blik op het huis, en Paul vroeg zich af of hij de waarheid sprak.

'Zou je hem dan in ieder geval willen zeggen dat ik geweest ben? Ik heb een briefje tussen de deur geklemd waarop staat waar hij me kan bereiken.'

'Hij wil u niet zien.'

Paul liet zijn blik even zakken, en toen keek hij weer op.

'Ik denk dat hij dat zelf moet beslissen, vind je ook niet?' zei hij.

'Wie denkt u wel niet dat u bent? Hoe durft u hier zomaar langs te komen om te proberen mijn vader van uw onschuld te overtuigen? Alsof het alleen maar een domme vergissing zou zijn geweest, of zo?'

Paul zei niets. De jongeman, die zijn aarzeling bespeurde, deed een stap naar hem toe en vervolgde met schrille stem: 'Ga weg! Ik wil u hier niet zien, en mijn vader ook niet!'

'Goed... best...'

De jongeman pakte de schep die tegen het huis stond, en Paul hief zijn handen op en deinsde achteruit.

'Ik ga al...'

Hij draaide zich om en liep terug naar de auto.

'En waag het niet terug te komen,' riep de jongeman. 'Vindt u niet dat u al genoeg hebt gedaan? Mijn moeder is dood, en dat is uw schuld!'

Paul kromp ineen onder de woorden. Hij stapte in de auto en reed weg zonder achterom te kijken.

Hij zag niet dat de buurman van de ladder kwam en iets tegen de jongeman zei; hij zag niet dat de jongeman de schep weggooide. Hij zag niet dat het gordijn van de zitkamer weer op zijn plaats terugviel.

En hij zag ook niet dat de voordeur openging, noch de rimpelige hand die het briefje opraapte nadat het op de vloer van de veranda was gevallen.

Enkele minuten later luisterde Adrienne naar Paul die haar vertelde wat er was gebeurd. Ze waren in de keuken en Paul stond, met zijn armen over elkaar en naar buiten kijkend, tegen het aanrecht geleund. Zijn gezicht was uitdrukkingsloos en hij maakte een diep gekwetste indruk. Hij zag er stukken vermoeider uit dan hij eerder die ochtend had gedaan. Toen hij was uitgesproken, keek Adrienne hem aan met een mengeling van meeleven en bezorgdheid.

'Je hebt het in ieder geval geprobeerd,' zei ze.

'Maar ik ben er niets mee opgeschoten, wel?'

'Misschien wist hij niet dat zijn vader je had geschreven.'

Paul schudde zijn hoofd. 'Dat is het niet alleen. Het gaat om de hele reden waarom ik hier ben gekomen. Ik wilde kijken of ik het goed kon maken, of dat ik het op zijn minst op de een of andere manier begrijpelijk voor hem zou kunnen maken, maar daartoe krijg ik niet eens de kans.'

'Dat is niet jouw schuld.'

'Maar zo voelt het wel.'

In de stilte die volgde kon Adrienne de geiser horen tikken.

'Omdat je het je aantrekt. Omdat je veranderd bent.'

'Alles is nog precies zoals het was. Ze denken dat ik haar vermoord heb.' Hij zuchtte. 'Heb je enig idee hoe dat voelt wanneer iemand zoiets van je denkt?'

'Nee,' zei ze, 'dat kan ik me niet voorstellen. Ik heb zoiets nog nooit mee hoeven maken.'

Paul knikte. Zijn gezicht stond strak.

Adrienne keek om te zien of zijn gezichtsuitdrukking zou veranderen, maar dat gebeurde niet, en ze stond van zichzelf te kijken toen ze een stapje naar hem toe deed en zijn hand pakte. Hij verzette zich aanvankelijk en hield zich stijf, maar toen ontspande hij zich en voelde ze hoe zijn vingers zich om de hare sloten.

'Hoe moeilijk het ook is om te aanvaarden, en onge-acht wat anderen zeggen,' zei ze, haar woorden met zorg kiezend, 'moet je begrijpen dat, zelfs áls je vanochtend met de vader gesproken zou hebben, je waarschijnlijk niets aan de mening van zijn zoon veranderd zou hebben. Hij heeft groot verdriet, en het is altijd gemakkelijker om iemand zoals jou de schuld te geven dan te aanvaarden dat de tijd van zijn moeder gekomen was. En ongeacht hoe het volgens jou is gelopen, heb je toch iets heel be-langrijks gedaan door daar vanochtend heen te gaan.'

'En dat is?'

'Je hebt geluisterd naar wat de zoon te zeggen had. Ook al heeft hij het mis, je hebt hem de kans gegeven om te zeggen wat hij op zijn hart had. Doordat je er was heeft hij zijn gram kunnen spuien, en ik neem aan dat het de vader daar van begin af aan om te doen is geweest. Hij heeft begrepen dat de zaak niet voor zal komen, maar hij

wilde dat jij zijn kant van het verhaal van hem persoonlijk zou horen. Dat je zou weten hoe het voor hen is.'

Paul lachte zonder vreugde. 'O, en daarmee voel ik me
meteen een heel stuk beter.'

Adrienne drukte zijn hand. 'Wat had je verwacht dat er
zou gebeuren? Dat ze jouw verhaal zouden aanhoren en
zich er na een paar minuutjes bij neer zouden leggen?
Nadat ze een advocaat in de arm hadden genomen en de
zaak aanhangig hadden gemaakt, terwijl ze van begin af
aan beseften dat ze geen schijn van kans zouden maken?
Nadat ze gehoord hadden wat alle artsen ervan hadden
gezegd? Ze wilden dat je zou komen om hún kant van het
verhaal te horen. En niet andersom.'

Paul zei niets, maar diep in zijn hart wist hij dat ze gelijk had. De vraag was alleen waarom hij zich dat niet
eerder gerealiseerd had.

'Ik weet dat je dit niet wilde horen,' ging ze verder, 'en
ik weet dat zij het mis hebben en dat het niet eerlijk is dat
ze jou de schuld van alles geven. Maar je hebt ze vandaag
iets belangrijks gegeven. Sterker nog, je hebt ze iets gegeven dat je ze niet had hoeven geven. En daar kun je trots
op zijn.'

'Het verbaast je helemaal niet dat het zo is gelopen,
hè?'

'Nee, niet echt.'

'Wist je vanmorgen al dat het zo zou gaan? Toen ik je
over hen vertelde?'

'Ik wist het niet zeker, maar ik vermoedde dat het zo
zou gaan.'

Er gleed een vluchtig glimlachje over zijn gezicht. 'Jij bent me er eentje, weet je dat?'

'Is dat goed of niet?'

Hij drukte haar hand en bedacht dat haar hand prettig voelde in de zijne. Haar hand voelde heel natuurlijk, bijna alsof hij hem al jaren had vastgehouden.

'Dat is niet goed, maar geweldig.'

Hij draaide zich teder glimlachend naar haar toe, en ineens besefte Adrienne dat hij haar wilde kussen. Hoewel ze daar aan de ene kant naar verlangde, kwam haar rationele kant meteen boven en herinnerde haar eraan dat het vrijdag was. Ze hadden elkaar de vorige das pas leren kennen, en hij zou weldra vertrekken. En zij ook. En daarbij, dit was zij niet echt, wel? Dit was niet de echte Adrienne – de bezorgde moeder en dochter, de vrouw die in de steek was gelaten voor een andere vrouw, de vrouw die op de bibliotheek werkte. Dit weekend was ze iemand anders, iemand die ze amper herkende. Haar tijd hier was als een droom, en hoewel dromen heel plezierig konden zijn, waren ze alleen maar dát en niets meer.

Ze deed een stapje naar achteren. Toen ze zijn hand losliet zag ze de teleurgestelde blik in zijn ogen, maar die verdween toen hij opzij keek.

'Ben je nog steeds van plan om me met de luiken en zo te helpen? Voor de storm er is, bedoel ik?'

'Natuurlijk.' Paul knikte. 'Maar laat me eerst even iets anders aantrekken.'

'Je hebt de tijd. Ik moet toch eerst nog even naar de winkel. Ik ben vergeten om ijs en een koeler te kopen zodat ik wat eten bij de hand kan houden voor het geval de stroom uitvalt.'

'Goed.'

Ze keek hem aarzelend aan. 'Gaat het?'

'Ja, hoor.'

Ze wachtte alsof ze er zeker van wilde zijn dat ze hem kon geloven, en toen pas draaide ze zich om. Ja, dacht ze, ze had de juiste beslissing genomen. Ze had er verstandig aan gedaan om zich af te wenden, en ze had er verstandig aan gedaan om zijn hand los te laten.

Maar toch kon ze, toen ze de deur uit ging, het gevoel niet helemaal van zich afzetten dat ze een kans voorbij had laten gaan – een kans om een stukje geluk te vinden dat ze al veel te lang in haar leven had moeten missen.

Paul was boven toen hij Adriennes auto hoorde starten. Hij ging voor het raam staan en keek naar de aanrollende golven terwijl hij probeerde te begrijpen wat er zojuist was gebeurd. Een paar minuten tevoren, toen hij haar had aangekeken, had hij ineens iets heel bijzonders gevoeld, maar dat gevoel was even snel weer verdwenen als het was gekomen, en haar gezicht had hem duidelijk gemaakt waarom.

Hij kon Adriennes aarzeling begrijpen. Ze leefden allemaal in een door grenzen bepaalde wereld, en binnen die strakke omlijning was nu eenmaal niet altijd ruimte voor spontaniteit en impulsieve opwellingen om van het moment te genieten. Hij wist dat die grenzen nodig waren om ervoor te zorgen dat het leven geordend verliep, maar met zijn beslissingen van de afgelopen maanden had hij getracht boven zijn beperkingen uit te stijgen en die orde, waar hij zo lang een voorstander van was geweest, te verwerpen.

Het was niet eerlijk van hem om hetzelfde van haar te verwachten. Ze stond op een ander punt in haar leven. Ze had haar verantwoordelijkheden en, zoals ze hem gisteren duidelijk had gezegd, die verantwoordelijkheden vereisten stabiliteit en voorspelbaarheid. Hij had zich ooit in dezelfde situatie bevonden, en hoewel hij op dit moment in de positie verkeerde dat hij volgens andere regels kon spelen, gold dat niet voor Adrienne.

Dat nam niet weg dat er in de korte tijd die hij hier was, iets veranderd was. Hij kon niet precies zeggen wanneer het was gebeurd. Misschien gisteren tijdens hun strandwandeling, of toen ze hem over haar vader had verteld, of mogelijk zelfs pas vanochtend toen ze in het zachte licht van de keuken samen hadden ontbeten. Of misschien was het wel gebeurd toen hij haar hand had vastgehouden en ze dicht bij elkaar hadden gestaan en hij niets liever had gewild dan zijn lippen teder op de hare drukken.

Het maakte niet uit. Het enige dat hij heel zeker wist was dat hij hard op weg was om zijn hart te verliezen aan een vrouw die Adrienne heette en die, ergens in North Carolina in een dorpje aan zee, op het hotel van een vriendin van haar paste.

Elf

Robert Torrelson zat achter het oude cilinderbureau in zijn zitkamer en luisterde naar zijn zoon die aan de achterkant van het huis bezig was met het dichttimmeren van de ramen. In zijn hand hield hij het briefje van Paul Flanner dat hij, terwijl hij zich verwonderde over het feit dat de dokter was gekomen, afwezig open- en dichtvouwde.

Hij had het niet verwacht. Hoewel hij Paul Flanner erom gevraagd had, was hij ervan overtuigd geweest dat hij zijn verzoek zou negeren. Flanner was een bekende arts in de stad die vertegenwoordigd werd door advocaten met opvallende stropdassen en dure riemen, en in het afgelopen jaar had geen van hen ook maar íets om hem of zijn gezin gegeven. Dat was normaal voor de rijke stadslui; en wat hemzelf betrof was hij blij dat hij nooit in de buurt had hoeven wonen van mensen die voor hun brood papieren heen en weer schoven, en die zich niet prettig konden voelen als hun werkklimaat niet precies drieëntwintig graden Celsius bedroeg. Ook hield hij niet van mensen die, omdat ze meer geleerd hadden en meer geld en een groter huis hadden, dachten dat ze beter waren dan de rest. Toen hij Paul Flanner na de operatie had gezien, had hij gemeend dat hij zo'n type was. Hij was stijf en afstandelijk, en hoewel hij alles had uitgelegd, had Robert door de kortaffe manier waarop hij gesproken had het gevoel gehad dat hij geen minuut minder zou slapen om wat er gebeurd was.

En dat was niet juist.

Robert hield er in zijn leven andere waarden op na, dezelfde waarden als zijn vader en zijn grootvader, en hun grootvader vóór hen erop na hadden gehouden. Hij kende zijn familiegeschiedenis tot bijna tweehonderd jaar terug uit zijn hoofd. Al zijn voorouders hadden hier in de Outer Banks gewoond. Generaties lang hadden ze hier in het water van Pamlico Sound gevist, sinds de tijd waarin er nog zoveel vis was geweest dat je met slechts één keer je net uitgooien je hele boot vol kon krijgen. Maar dat was allang niet meer zo. Intussen had je quota's en voorschriften en vergunningen en grote bedrijven, en iedereen zat achter die paar vissen aan die er nu nog over waren. Tegenwoordig achtte Robert zich al gelukkig wanneer hij voldoende binnenhaalde om zijn gas te kunnen betalen.

Robert Torrelson was zevenenzestig, maar hij zag er tien jaar ouder uit. Zijn gezicht was verweerd en gevlekt en zijn lichaam was hard op weg zijn strijd tegen de tijd te verliezen. Hij had een litteken dat van zijn linkeroog tot aan zijn oor liep. Zijn handen waren stijf en pijnlijk van de reuma, en zijn rechter ringvinger ontbrak sinds die keer dat hij er bij het binnenhalen van de netten mee in de lier was terechtgekomen.

Maar al die dingen hadden Jill niet kunnen schelen. En nu was Jill er niet meer.

Op het bureau stond een foto van haar, en nog steeds betrapte hij zichzelf erop dat hij er, wanneer hij alleen in de kamer was, naar zat te staren. Hij miste alles aan haar – hij miste de manier waarop ze zijn schouders warm wreef wanneer hij op een koude winteravond binnen was gekomen, hij miste de manier waarop ze samen op de veranda achter naar de muziek op de radio hadden zitten luisteren, en hij miste haar geur nadat ze haar borst had gepoederd. Dat was een simpele en frisse geur geweest, een geur die deed denken aan een pasgeboren baby.

En dat alles had Paul Flanner hem afgenomen. Hij wist dat Jill nog steeds bij hem zou zijn geweest als ze die dag niet naar het ziekenhuis was gegaan.

Zijn zoon had zijn beurt gehad. En nu was het de zijne.

Adrienne reed de korte afstand naar het dorp, zette de auto op het grind van de parkeerplaats voor de winkel en slaakte een zucht van opluchting toen ze zag dat ze nog open waren.

Er stonden nog drie lukraak geparkeerde auto's die alle drie bedekt waren met een dun laagje zout. Een paar mannen met honkbalpetten op stonden voor de winkel te roken en koffie te drinken. Ze keken naar Adrienne terwijl ze uitstapte en staakten hun gesprek; toen ze langs hen heen naar binnen liep, knikten ze bij wijze van groet.

Het was een typische provinciewinkel – een versleten houten vloer, plafondventilatoren en schappen die propvol stonden met de meest uiteenlopende artikelen. Vlak bij de kassa stond een ton met een extra aanbieding zoetzure augurken, en daarnaast stond een tonnetje met geroosterde pinda's. Achterin was een kleine grill waar je vers gebakken hamburgers en broodjes vis kon krijgen, en hoewel er niemand achter de toonbank stond, rook de hele winkel naar frituur.

De ijsmachine was ook achterin, naast de koelafdeling met bier en fris, en Adrienne liep erheen. Terwijl ze haar hand uitstak naar het hendel van de spiegelende deur van de ijsmachine, ving ze een glimp van zichzelf op. Even aarzelde ze, net alsof ze zichzelf door andere ogen zag.

Hoe lang was het geleden, vroeg ze zich af, sinds iemand haar aantrekkelijk had gevonden? Of dat iemand die ze nog maar net ontmoet had, haar wilde kussen? Als iemand haar die vragen gesteld zou hebben voordat ze hier naar toe was gegaan, zou ze geantwoord hebben dat dat sinds de dag waarop Jack het huis uit was gegaan niet meer gebeurd was. Maar dat was niet helemaal waar. Niet op deze manier, in elk geval. Jack was haar man geweest en geen vreemde, en aangezien ze, voor ze getrouwd waren, eerst twee jaar verkering hadden gehad, was het eerder bijna drieëntwintig jaar geleden dat haar zoiets was overkomen.

Als Jack niet weg was gegaan, zou ze met die wetenschap hebben kunnen leven en zou ze er mogelijk zelfs nooit bij stil hebben gestaan. Maar dat was haar hier en nu onmogelijk. Meer dan de helft van haar leven was verstreken zonder de interesse van een aantrekkelijke man, en ongeacht hoezeer ze haar best deed om zichzelf ervan te overtuigen dat ze zich had afgewend omdat dat verstandig was geweest, kon ze toch niet nalaten om te denken dat het feit dat ze drieëntwintig jaar geen oefening meer in dit soort dingen had gehad, er waarschijnlijk ook wel iets mee te maken had.

Ze kon niet ontkennen dat ze zich tot Paul aangetrokken voelde. Het was niet alleen dat hij knap en interessant, of zelfs op zijn eigen manier charmant was. En het kwam ook niet alleen doordat hij haar het gevoel gaf dat ze begeerlijk was. Nee, wat haar vooral in hem aantrok was zijn oprechte verlangen om te veranderen – om een beter mens te worden dan hij was geweest. Ze had in haar leven genoeg mensen gekend zoals hij die – zoals je vaak bij artsen en advocaten zag – aan hun werk waren verslaafd, maar ze had nog nooit iemand ontmoet die niet alleen had besloten om ineens alle regels overboord te zetten, maar die dat bovendien deed op een manier die de meeste mensen doodsbang zou maken.

Daar zat, vond ze, iets nobels in. Hij wilde zijn fouten goed maken, hij wilde een band smeden met zijn zoon met wie hij nooit echt contact had gehad, en hij was hier gekomen omdat een onbekende man die zijn gelijk wilde verdedigen, hem een briefje had gestuurd met het verzoek om een persoonlijk gesprek.

Wat voor iemand moest je zijn om zoiets te doen? Hoeveel innerlijke kracht was daarvoor nodig? Of moed? Meer dan zij had, dacht ze. Sterker nog, ze kende niemand met zoveel moed, en hoe graag ze het ook wilde ontkennen, ze was er trots op dat iemand zoals hij haar aantrekkelijk vond.

Terwijl Adrienne over die dingen nadacht, pakte ze de laatste twee zakken ijs en een koeler van piepschuim, en liep ermee naar de kassa. Ze betaalde, verliet de winkel en keerde terug naar de auto. Een van de oudere mannen zat nog op de veranda, en toen ze naar hem knikte, lag er op haar gezicht de speciale uitdrukking van iemand die op dezelfde dag een huwelijk en een begrafenis heeft bijgewoond.

In de korte tijd dat ze weg was geweest, was de lucht een stuk donkerder geworden, en toen ze uit de auto stapte sneed de wind langs haar heen. Ze hoorde hem rond de hoeken van het hotel suizen – een angstaanjagende, bijna spookachtige, aanhoudende enkele toon. Wolken draaiden en kolkten en versmolten met elkaar, en trokken in dikke plukken over haar hoofd. De zee was een massa van witte koppen, en de golven rolden veel verder het strand op dan ze de vorige dag bij vloed hadden gedaan.

Adrienne haalde het ijs uit de auto en zag Paul achter het hek vandaan komen.

'Ben je alvast zonder mij begonnen?' vroeg ze.

'Nee, niet echt. Ik heb alleen maar gekeken of ik alles kon vinden.' Hij wees op het ijs. 'Zal ik je even helpen?'

Adrienne schudde het hoofd. 'Ik heb het al. En het is niet zwaar.' Ze knikte in de richting van de deur. 'Ik wil zo snel mogelijk beginnen. Heb je er bezwaar tegen als ik je kamer binnenga om de luiken daar dicht te doen?'

'Nee, ga gerust je gang.'

Binnen zette Adrienne de koeler naast de koelkast, pakte een mes om de zakken ijs open te snijden en deed het ijs in de koeler. Ze haalde wat kaas uit de koelkast, het fruit dat over was van het ontbijt en de kip van de vorige avond en dekte alles toe met het ijs. Het mocht dan geen vijfsterrenmaal zijn, dacht ze, het kon ermee door voor het geval er niets anders was. Toen ze zag dat er nog plaats was in de koeler, pakte ze een fles wijs en legde hem erbovenop, terwijl ze zich even heimelijk opgewonden voelde bij de gedachte dat ze die later samen met Paul zou drinken.

Ze zette het gevoel van zich af en besteedde de daaropvolgende vijf minuten aan het controleren van de ramen en het sluiten van de luiken op de begane grond. Boven ging ze eerst naar de vrije kamers, en pas als laatste naar de kamer waar hij had geslapen.

Het eerste dat haar opviel toen ze Pauls kamer binnenging, was dat hij zelf zijn bed had opgemaakt. Zijn reis-

tassen stonden naast de commode; de kleren die hij eerder die ochtend had gedragen waren al opgeruimd, en
zijn instappers stonden met de neuzen naar voren, keurig
naast elkaar op de grond tegen de muur. Haar kinderen,
dacht ze, konden nog iets van hem leren ten aanzien van
het netjes houden van hun kamer.

In zijn badkamer deed ze een klein raam dicht, en terwijl ze dat deed zag ze zijn scheermes en daarnaast het
bakje met scheerzeep en de kwast die hij gebruikte om
zelf schuim te maken. Beide stonden op de wastafel, naast
een flesje aftershave. Ongewild zag ze hem in gedachten
zoals hij die ochtend over de wastafel gebogen moest hebben gestaan, en haar gevoel zei haar dat hij haar op dat
moment naast zich had gewenst.

Ze schudde haar hoofd en voelde zich bijna als een tiener die de slaapkamer van haar ouders doorzoekt. Toen
ze door het raam naast het bed naar buiten keek, zag ze
Paul een van de schommelstoelen het terras af dragen om
hem in de ruimte onder het huis op te slaan.

Zijn bewegingen waren van iemand die twintig jaar
jonger was. Dat kon je van Jack niet zeggen. In de loop
der jaren had Jack door de vele cocktails een buik gekregen, en die buik trilde wanneer hij lichamelijk werk deed.

Paul was anders. Paul, wist ze, leek in geen enkel opzicht op Jack, en het was daar, boven in zijn kamer, dat
ze een vaag voorgevoel begon te krijgen van iets dat mogelijk tussen hen zou kunnen gebeuren.

Paul was onder het huis bezig om de boel in gereedheid te brengen.

De stormluiken waren aluminium golfplaten van vijfenzeventig centimeter breed en een meter tachtig hoog, en op elk ervan stond voor welk raam van het huis ze waren. Paul begon ze van de stapel te halen en ze in groepjes bij elkaar te zetten, terwijl hij ondertussen een plan maakte hoe hij het beste te werk zou kunnen gaan.

Hij was juist klaar toen Adrienne weer beneden kwam. In de verte rolde de donder, en ze merkte dat de temperatuur was gedaald. 'Gaat het?' vroeg ze. Ze vond haar stem vreemd klinken, net alsof een andere vrouw die vraag had gesteld.

'Het is eenvoudiger dan ik gedacht had,' zei hij. 'Het is alleen maar een kwestie van de platen in de gleuven laten glijden, waarna ze met deze beugels worden vastgezet.'

'En de latjes om de boel extra mee te verstevigen?'

'Dat valt ook reuze mee. Ze vallen vanzelf in de steunbalkjes die al naast de kozijnen zitten. Dan is het alleen nog maar een kwestie van een paar spijkers. Jean zei het al, het is iets dat iemand gemakkelijk alleen kan doen.'

'Hoe lang denk je dat we ervoor nodig zullen hebben?'

'Ik schat een uurtje. Als je wilt doe ik het wel alleen, en kun je binnen wachten.'

'Kan ik dan niets doen? Om je erbij te helpen, bedoel ik?'

'Niet echt, maar als je wilt kun je me gezelschap houden.'

Adrienne glimlachte in reactie op de uitnodigende klank van zijn stem. 'Afgesproken.'

In het daaropvolgende uur liep Paul van het ene naar het andere raam om de golfplaten voor de ramen te zetten terwijl Adrienne hem gezelschap hield. Onder het werken kon hij haar naar zich voelen kijken, en hij had hetzelfde onhandige gevoel als hij die ochtend had gehad, toen ze zijn hand had losgelaten.

Enkele minuten later begon het zachtjes te regenen, en het duurde niet lang voor de echte bui losbarstte. Adrienne bleef zo dicht mogelijk bij de gevel om niet nat te worden, maar stelde vervolgens vast dat het, door de harde wind, nauwelijks enig verschil maakte wáár ze stond. Paul bleef in precies hetzelfde tempo doorwerken – de regen scheen in het geheel geen uitwerking op hem te hebben.

Alweer een raam gedaan, op naar het volgende. De plaat ervoor, klemmen vastzetten, de ladder verzetten. Tegen de tijd dat alle platen ervoor zaten en hij met de latjes was begonnen, bliksemde het boven zee en goot het van de regen. Maar Paul bleef gestaag doorwerken. Elke spijker werd, alsof hij jarenlang als timmerman had gewerkt, met vier regelmatige slagen in het hout gedreven.

Ondanks de regen spraken ze met elkaar; het viel Adrienne op dat hij het gesprek luchtig hield en thema's die verkeerd opgevat zouden kunnen worden, zorgvuldig uit de weg ging. Hij vertelde hoe hij en zijn vader onderhoudswerkzaamheden aan de boerderij hadden verricht, en dat hij in Ecuador mogelijk ook van dit soort werk zou doen, dus dat het goed was om er vast weer een beetje aan te wennen.

Terwijl Adrienne hem over ditjes en datjes hoorde vertellen, realiseerde ze zich dat hij haar de ruimte bood die hij meende dat ze nodig had en hebben wilde. Maar terwijl ze zo naar hem keek, wist ze opeens dat afstand bewaren wel het mínste was waar ze behoefte aan had.

Alles aan hem deed haar verlangen naar iets dat ze nooit had gehad: de manier waarop hij de indruk wekte dat hetgeen hij deed reuze eenvoudig was, de vorm van zijn heupen en benen in zijn spijkerbroek wanneer hij op de ladder stond en boven haar uit torende, die ogen die de perfecte spiegel waren van wat hij dacht en voelde. Hier, in de gietende regen, voelde ze zich sterk aangetrokken tot de mens die hij was, en, zo besefte ze ineens, tot de mens die ze zelf wilde zijn.

Tegen de tijd dat hij klaar was, waren zijn jack en sweater doorweekt van de regen, en was zijn gezicht bleek geworden van de kou. Nadat hij de ladder en het gereedschap onder het huis had weggeborgen, kwam hij terug bij Adrienne die op de veranda stond. Ze had haar hand door haar haren gehaald en ze uit haar gezicht gestreken. De zachte krullen waren weg, evenals elk spoortje make-up. Wat hij zag was een natuurlijke schoonheid, en hoewel ze een dik jack aan had, was Paul zich er ten volle van bewust dat er een warm, vrouwelijk lichaam onder verscholen zat.

Op dat moment, terwijl ze onder het afdak stonden, barstte het onweer ineens voluit los. Een lange, hoekige bliksemschicht verbond de zee met de hemel, en de donderklap was zo luid alsof er twee auto's in volle vaart tegen elkaar op vlogen. De wind trok aan, en de bomen bogen allemaal in dezelfde richting. De regen viel, de zwaartekracht negerend, in horizontale vlagen.

Even deden ze niets anders dan kijken, in het besef dat één minuut meer of minder in de regen er niet toe deed. En toen, eindelijk gehoor gevend aan de mogelijkheid van wat er zou kunnen volgen, draaiden ze zich zonder iets te zeggen om en gingen naar binnen.

Twaalf

Nat en koud als ze waren, gingen ze elk naar hun kamer. Paul kleedde zich uit, draaide de douchekraan open, en toen de damp achter het gordijn opsteeg, stapte hij eronder. Het duurde een paar minuten tot zijn lichaam weer op temperatuur was, en hoewel hij er veel langer onder bleef staan dan gewoonlijk en zich ook langzamer aankleedde dan anders, was Adrienne, toen hij weer beneden kwam, nog niet uit haar kamer gekomen.

Met alle ramen dichtgetimmerd, was het donker in huis, en Paul deed het licht in de zitkamer aan alvorens naar de keuken te gaan om koffie te halen. De regen sloeg meedogenloos tegen de aluminium platen, en het lawaai weergalmde door het huis. De donder rolde onafgebroken en klonk tegelijkertijd dichtbij en ver weg, als de geluiden op een druk station. Paul nam zijn koffie mee terug naar de zitkamer. Met het licht aan voelde het alsof het avond was, en hij liep naar de open haard.

Paul haalde drie houtblokken uit de houtkist, legde ze op elkaar en stopte er wat aanmaakhoutjes tussen. Hij zocht lucifers, en vond ze in een houten doosje op de mantel. Bij het afstrijken van de eerste lucifer verspreidde er zich een zwavellucht door de kamer.

De aanmaakhoutjes waren droog en vatten vrijwel met-een vlam, en even later hoorde hij een geluid als van het verkreukelen van papier, dat afkomstig was van de hout-blokken die vlam vatten. Na een paar minuten al begon de warmte van het vuur voelbaar te worden, en Paul schoof de schommelstoel wat dichter voor de haard en strekte zijn voeten ernaar uit.

Het was heel plezierig, dacht hij, maar toch ontbrak er nog iets aan. Hij liep naar de andere kant van de kamer en deed het licht uit.

Hij glimlachte. Beter, dacht hij. Een heel stuk beter.

Adrienne was nog op haar kamer en ze nam alle tijd. Nadat ze binnen waren gekomen, besloot ze Jeans advies op te volgen, en liet het bad vollopen. Toen ze erin was gestapt en de kranen dicht had gedraaid, kon ze het water nog door de buizen horen lopen, en wist ze dat Paul zich boven aan het douchen was. Er zat een onmiskenbaar sensueel kantje aan dat besef, en ze stond wat langer stil bij het gevoel.

Twee dagen geleden zou ze zich onmogelijk hebben kunnen voorstellen dat zoiets als dit haar zou overkomen. Net zomin zou ze zich hebben kunnen voorstellen dat ze ooit dit soort gevoelens voor iemand zou kunnen koesteren, laat staan voor iemand die ze nog maar net had ontmoet. In haar leven was geen ruimte voor dat soort dingen, en tegenwoordig al helemaal niet. Het was heel gemakkelijk om het feit dat ze geen tijd had voor dit soort dingen te wijten aan de kinderen of aan alle verantwoordelijkheden die ze droeg, maar dat was niet helemaal waar. Het had ook te maken met de mens die ze in de nasleep van de scheiding was geworden.

Ja, ze voelde zich verraden en ze was boos op Jack; dat kon iedereen begrijpen. Het feit dat je voor iemand anders in de steek was gelaten had zijn gevolgen, en hoezeer ze ook probeerde om er niet bij stil te staan, er waren toch momenten waarop ze het niet kon helpen. Jack had haar afgewezen – háár, en het leven dat ze samen hadden geleid; dat betekende niet alleen een verwoestende dreun voor haar als echtgenote en moeder, maar ook voor haar als vrouw. Zelfs als, zoals hij beweerde, hij niet van plan was geweest om op Linda verliefd te worden en het zomaar vanzelf gebeurd was, was het niet zo dat hij zich simpelweg had laten meeslepen door zijn emoties, en moest hij op een gegeven moment een bewuste beslissing hebben genomen. Hij moest hebben nagedacht over wat hij deed, en toen hij was begonnen om regelmatig afspraakjes met Linda te maken, kon het niet anders dan dat hij had stilgestaan bij de gevolgen. En hoezeer hij ook zijn best deed om de klap zo veel mogelijk te verzachten, deed dat er niets aan af dat het op Adrienne overkwam alsof Linda in ieder opzicht beter was, en dat Adrienne niet eens de tijd en de moeite waard was om te proberen goed te maken wat er volgens hem aan hun huwelijk mankeerde.

Hoe had hij verwacht dat ze op die totale afwijzing zou reageren? Anderen konden heel gemakkelijk zeggen dat het niets met haar te maken had en dat Jack in een midlifecrisis zat, maar dat veranderde niets aan het feit dat het wel degelijk van invloed was op de mens die ze meende te zijn. En helemaal als vrouw. Het was niet gemakkelijk om je sensueel te voelen wanneer je in de overtuiging verkeerde dat je onaantrekkelijk was, en de daaropvolgende drie jaar zonder ook maar iets van mannelijke aandacht hadden dat gevoel van ontoereikendheid er alleen maar sterker op gemaakt.

En hoe was ze omgegaan met dat gevoel? Ze had haar leven gewijd aan haar kinderen, haar vader, het huis, haar werk en de rekeningen. Bewust of onbewust was ze opgehouden met het doen van die dingen die haar de kans zouden geven om aan zichzelf te denken. Voorbij waren de ontspannen telefoongesprekken met haar vriendinnen, de wandelingen, het lange liggen in een lekker warm bad, en zelfs tuinieren deed ze niet meer. Alles wat ze deed moest een duidelijk nut hebben, en hoewel ze dacht dat ze haar leven op deze manier netjes geordend had, besefte ze nu dat het een vergissing was geweest.

Want het was er uiteindelijk niet beter op geworden. Ze was druk in de weer vanaf het moment waarop ze opstond tot het moment waarop ze 's avonds in bed stapte, en omdat ze ervoor zorgde dat ze zichzelf geen beloning van wat voor soort dan ook in het vooruitzicht stelde, had ze niets om zich op te verheugen. Haar dagen waren gevuld met een vaste reeks verplichtingen en taken, en die waren op zich voldoende om zelfs de meest energieke persoon doodmoe te maken. Door de kleine dingen die het leven de moeite waard maakten te schrappen, had ze, zo besefte ze ineens, niets anders gedaan dan vergeten wie ze in werkelijkheid was.

Ze vermoedde dat Paul dat al van haar wist en dat ze, doordat ze tijd in zijn gezelschap had doorgebracht, de kans had gekregen om het van zichzelf te beseffen.

Maar dit weekend draaide niet alleen om het herkennen van de fouten die ze in het verleden had gemaakt. Het had ook te maken met de toekomst en met hoe ze vanaf dit moment verder zou gaan. Haar verleden was een voldongen feit waar ze niets meer aan kon veranderen, maar de toekomst moest nog worden ingevuld, en ze wilde zich de rest van haar leven niet zo blijven voelen als ze de afgelopen drie jaar had gedaan.

Ze schoor haar benen en bleef nog een paar minuten in het warme water liggen, net zo lang tot het schuim was uitgewerkt en het water te koel begon te worden. Ze droogde zich af en pakte – in de wetenschap dat Jean het niet erg zou vinden – de bodylotion van de wastafel. Ze smeerde er wat van op haar benen en buik, en vervolgens op haar borsten en armen, en genoot van de manier waarop het haar huid tot leven deed komen.

Met de handdoek om zich heen gewikkeld boog ze zich over haar koffer. Uit gewoonte pakte ze een spijkerbroek en een trui, maar even later legde ze ze toch maar weer opzij. Als ik werkelijk iets aan mijn leven wil veranderen, dacht ze, dan kan ik daar net zo goed nu meteen mee beginnen.

Ze had niet veel anders bij zich, en zeker niets chics, maar ze had wel de zwarte broek en de witte blouse die ze met Kerstmis van Amanda had gekregen. Die had ze in haar koffer gestopt in de vage hoop dat ze misschien een avondje uit zou gaan, en hoewel ze gewoon thuis zouden blijven was het misschien toch niet zo'n slecht idee om dat aan te trekken.

Ze droogde haar haren met de föhn en krulde het. Daarna maakte ze zich op – mascara en een klein beetje blusher en de lippenstift die ze een paar maanden geleden bij Belk had gekocht en haast nooit opdeed. Ze boog zich naar de spiegel toe en deed ook nog een beetje oogschaduw op, juist voldoende om de kleur van haar ogen te accentueren, zoals ze in de beginjaren van haar huwelijk had gedaan.

Toen ze klaar was trok ze aan de blouse tot hij precies goed hing, en ze glimlachte om het resultaat. Het was veel te lang geleden dat ze er zo uit had gezien.

Ze verliet de slaapkamer, en op haar weg door de keuken rook ze koffie. Dat was wat ze normaal op zo'n dag als deze zou drinken, en helemaal aangezien het nog geen avond was, maar in plaats van een kop in te schenken, haalde ze de laatste fles wijn uit de koelkast en pakte de kurkentrekker en een paar glazen. Ze voelde zich een vrouw van de wereld die de situatie volkomen meester was.

Toen ze met de wijn de zitkamer binnenging, zag ze dat Paul de haard had aangestoken en dat de kamer er op een bepaalde manier door veranderd was, alsof hij had geweten hoe ze zich zou voelen. Het licht van de vlammen viel op Pauls gezicht, en hoewel ze geen geluid had gemaakt, wist ze dat hij gevoeld had dat ze binnen was gekomen. Hij draaide zich om en wilde iets zeggen, maar toen hij Adrienne zag, kwam er geen woord over zijn lippen. Het enige waar hij toe in staat was, was haar met grote ogen aanstaren.

'Overdreven?' vroeg ze ten slotte.

Paul schudde zijn hoofd, en bleef haar aankijken. 'Nee... helemaal niet. Je bent... prachtig.'

Adrienne lachte verlegen. 'Dank je,' zei ze. Haar stem klonk zacht, fluisterend bijna, een stem van lang geleden.

Ze bleven elkaar aanstaren totdat Adrienne de fles ten slotte ophief. 'Heb je zin in een slokje wijn?' vroeg ze. 'Ik weet dat je koffie hebt, maar met dit weer leek een glaasje wijn me wel lekker.'

Paul schraapte zijn keel. 'Dat lijkt me heerlijk. Zal ik de fles openmaken?'

'Dat lijkt me een goed idee, tenzij je houdt van stukjes kurk in je wijn. Het is een kunst die ik nooit onder de knie heb gekregen.'

Toen Paul opstond gaf ze hem de kurkentrekker aan. Hij maakte de fles met snelle bewegingen open, waarna

Adrienne de beide glazen ophield en hij ze inschonk. Hij zette de fles op het kleine tafeltje, pakte zijn glas en ze gingen in de schommelstoelen zitten. Het viel haar op dat ze dichter bij elkaar stonden dan de vorige dag.

Adrienne nam een slokje, liet haar glas zakken en beleefde een moment van innige tevredenheid: ze was tevreden met hoe ze eruitzag en wat ze voelde, met de smaak van de wijn en met de sfeer die hen omgaf. De dansende vlammen wierpen bewegende schaduwen door de kamer. De regen sloeg in vlagen tegen de muren.

'Dit is genieten,' zei ze. 'Ik ben blij dat je de haard hebt aangestoken.'

In de warmende lucht ving Paul een vleug op van haar parfum, en hij ging verzitten. 'Ik had het nog steeds koud van dat werken buiten,' zei hij. 'Het lijkt wel alsof ik elk jaar wat langer nodig heb om warm te worden.'

'Zelfs met al dat bewegen? En ik dacht nog wel dat je de verwoesting der jaren zo goed op een afstand wist te houden.'

Hij lachte zacht. 'Was dat maar zo.'

'Volgens mij valt dat reuze mee.'

'Dan heb je me 's ochtends vroeg nog niet gezien.'

'Als je jogt, bedoel je?'

'Nee, daarvóór. Als ik uit bed kom kan ik me amper bewegen. Ik hobbel rond als een oude man. Al dat rennen heeft in de loop der jaren zijn tol geëist.'

Ze schommelden zachtjes heen en weer, en hij zag het licht van de vlammen in haar ogen weerkaatsen.

'Heb je vandaag met je kinderen gesproken?' vroeg hij.

Hij moest bewust zijn best doen om haar niet al te openlijk aan te staren.

Ze knikte. 'Ze hebben vanochtend gebeld, toen je uit was. Ze waren zich aan het voorbereiden op hun weekendje skiën in Snowshoe, West Virginia, en wilden me voor hun vertrek nog even spreken. Ze hebben daar maanden naar uitgekeken.'

'Zo te horen zullen ze ervan genieten.'

'Ja. Jack is goed in dat soort dingen. Wanneer ze bij hem zijn heeft hij altijd van alles georganiseerd, net alsof het leven met hem één groot feest zou zijn.' Ze zweeg. 'Maar dat geeft niet. Hij heeft ook een heleboel moeten missen, en ik zou niet graag met hem willen ruilen. Die tijd van vroeger komt nooit meer terug.'

'Vertel mij wat,' mompelde hij. 'Daar weet ik alles van.'

Ze trok een pijnlijk gezicht. 'Neem me niet kwalijk. Dat had ik niet moeten zeggen...'

Hij schudde zijn hoofd. 'Het geeft niet. Je had het niet over mij, en ik weet dat ik meer heb gemist dan ik ooit zal kunnen inhalen. Maar ik probeer er tenminste alsnog iets aan te doen. Ik hoop alleen dat het goed zal gaan.'

'Dat zal het.'

'Denk je?'

'Dat weet ik zeker. Volgens mij ben je iemand die, wanneer hij zich eenmaal een doel heeft gesteld, dat ook bereikt.'

'Deze keer ligt het allemaal wat moeilijker.'

'Hoezo?'

'Mark en ik verkeren tegenwoordig niet op al te beste

voet. Of liever, we hebben helemáál geen contact met elkaar. We hebben in jaren niet meer dan hooguit een paar woorden met elkaar gewisseld.'

Ze keek hem aan en wist niet goed wat ze daarop moest zeggen. 'Ik had me niet gerealiseerd dat het al zo lang was,' zei ze ten slotte.

'Dat kon je ook niet weten. En het is niet iets wat ik graag toegeef.'

'Wat ben je van plan tegen hem te zeggen? Als eerste, bedoel ik.'

'Geen idee.' Hij keek haar aan. 'Suggesties? Zo te horen heb jij het ouderschap aardig onder de knie.'

'Dat lijkt maar zo. En ik zou eerst moeten weten wat het feitelijke probleem is.'

'Het is een lang verhaal.'

'We hebben de hele dag, als je erover wilt praten.'

Paul nam een slok alsof hij zich moed in moest drinken om een besluit te nemen. En toen, gedurende het daaropvolgende halfuur en met het geluid van de gierende wind en de gietende regen op de achtergrond, vertelde hij haar dat hij tijdens Marks jonge jaren nooit thuis was geweest, over hun ruzie in het restaurant en over het feit dat het hem maar niet wilde lukken de wil op te brengen om de kloof tussen hen te overbruggen. Tegen de tijd dat hij was uitgesproken, was het vuur bijna gedoofd. Adrienne reageerde niet meteen.

'Dat is niet eenvoudig,' gaf ze toe.

'Dat weet ik.'

'Maar je moet goed beseffen dat het niet uitsluitend

jouw schuld is. Er zijn twee mensen nodig voor het in-
standhouden van een ruzie.'

'Dat klinkt behoorlijk filosofisch.'

'Maar het is waar.'

'Wat kan ik eraan doen?'

'Ik denk dat je, om te beginnen, niet te veel druk moet
uitoefenen. Ik denk dat jullie elkaar eerst moeten leren
kennen alvorens de problemen die er tussen jullie zijn, te
lijf te gaan.'

Hij glimlachte terwijl hij over haar woorden nadacht.
'Ik hoop dat jouw kinderen zich realiseren hoe slim hun
moeder is.'

'Dat doen ze niet, maar ik heb de hoop nog niet opge-
geven.'

Hij lachte, en stelde ondertussen vast dat haar huid er
stralend uitzag in de zachte gloed van de vlammen. Er
knetterde een houtblok, en de vonken die eraf spatten ste-
gen op in de schoorsteen. Paul schonk nog wat wijn in de
glazen.

'Hoe lang ben je van plan om in Ecuador te blijven?'
vroeg ze.

'Dat weet ik nog niet precies. Ik denk dat het van Mark
afhangt, en van hoe lang hij mij daar wil hebben.' Hij liet
de wijn ronddraaien in zijn glas en keek haar vervolgens
aan. 'Maar ik denk minstens een jaar. Dat heb ik in elk
geval tegen de leider van het project gezegd.'

'En dan kom je terug?'

Hij haalde zijn schouders op. 'Wie zal het zeggen. In
principe zou ik, denk ik, overal naar toe kunnen gaan.

Het is niet dat ik per se naar Raleigh terug zou moeten. Om je de waarheid te zeggen heb ik nog niet nagedacht over wat ik bij mijn terugkomst zou willen doen. Misschien kies ik wel voor een bestaan van op hotelletjes passen wanneer de eigenaars een paar dagen weg moeten.'

Ze lachte. 'Ik denk dat je daar al snel op uitgekeken zou raken.'

'Ja, maar ik zou me echt nuttig kunnen maken wanneer er storm voorspeld was.'

'Dat is waar, maar je zou ook moeten leren koken.'

'Daar heb je gelijk in.' Paul keek haar aan, zijn gezicht was half in de schaduw. 'In dat geval zou ik in Rocky Mount kunnen gaan wonen, en kijken wat ik verder zou willen doen.'

'Zeg dat niet.'

'Wat niet?'

'Dingen die je niet meent.'

'Wie zegt dat ik het niet zou menen?'

Ze wilde hem niet aankijken en ze wilde er niets op zeggen, en in de stilte van de kamer keek hij naar haar borst die met haar ademhaling op en neer ging. Hij kon een schaduw van angst over haar gezicht zien trekken maar wist niet of dat was omdat ze wilde dat hij zou komen en bang was dat hij dat niet zou doen, of dat ze niet wilde dat hij zou komen en bang was dat hij dat wél zou doen. Hij stak zijn hand naar haar uit en legde hem op haar arm. Toen hij opnieuw het woord nam, had zijn stem de zachte klank van iemand die een klein kind probeert te troosten.

'Het spijt me als ik je daarmee op de een of andere manier van streek heb gemaakt,' zei hij, 'maar dit weekend... ik wist niet dat er zoiets bestond. Ik bedoel, het is als een droom. Jij bent een droom.'

De warmte van zijn hand drong door tot in haar botten.

'Ik heb er ook van genoten,' zei ze.

'Maar je voelt het niet zo.'

Ze keek hem aan. 'Paul... ik...'

'Nee, je hoeft niets te zeggen _'

Ze liet hem niet uitspreken. 'Ja, dat wil ik wel. Jij wilt een antwoord en ik wil je er een geven, goed?' Ze zweeg en probeerde haar gedachten te ordenen. 'Toen Jack en ik uit elkaar gingen, betekende dat meer dan alleen maar het einde van een huwelijk. Het betekende het einde van al mijn hoop op de toekomst. En het maakte ook een eind aan wat ik was. Ik dacht dat ik verder wilde met het leven, en dat heb ik ook geprobeerd, maar de wereld leek niet meer bijster geïnteresseerd te zijn in wie ik was. Mannen zagen mij niet meer zitten, en ik denk dat ik me in mijn schulp heb teruggetrokken. Dat heb ik me door dit weekend gerealiseerd, en ik ben nog steeds bezig om dat te verwerken.'

'Ik begrijp niet goed wat je daarmee wilt zeggen.'

'Ik zeg dit niet omdat het antwoord nee zou zijn. Ik zou het heel fijn vinden om je weer te zien. Je bent charmant en intelligent, en de afgelopen twee dagen hebben meer voor mij betekend dan je je waarschijnlijk zult realiseren. Maar dat je in Rocky Mount wilt komen wonen? Een jaar is een lange tijd, en wie weet wat er intussen met ons kan gebeuren. Kijk alleen maar hoe sterk we in de afgelopen zes maanden zijn veranderd. Kun je nu echt zeggen dat je over een jaar nog precies hetzelfde zult willen als nu?'

'Ja,' zei hij, 'dat kan ik.'

'Hoe kun je daar zo zeker van zijn?'

Buiten loeide de storm om de hoeken van het huis. De regen sloeg tegen de muren en het dak; het oude huis kraakte onder de niet-aflatende gesel van de elementen.

Paul zette zijn glas neer. Hij keek Adrienne aan en wist dat hij nog nooit iemand had gezien die zo mooi was.

'Omdat,' zei hij, 'jij de enige reden zou zijn waarom ik terug zou willen komen.'

'Paul... niet...'

Ze sloot haar ogen en even dacht Paul dat hij haar verloor. Dat besef schokte hem dieper dan hij ooit voor mogelijk had gehouden, en hij voelde het laatste beetje weerstand wegebben. Hij keek omhoog naar het plafond, en toen omlaag naar de vloer, en richtte zijn blik weer op Adrienne. Toen stond hij op en knielde naast haar stoel. Hij legde zijn wijsvinger op haar wang en draaide haar gezicht naar zich toe in de wetenschap dat hij verliefd op haar was – op haar en op alles wat met haar verbonden was.

'Adrienne...' fluisterde hij, en toen Adrienne hem ten slotte aankeek, zag ze de emotie in zijn ogen.

Hij kon de woorden niet zeggen, maar in een opwelling

van pure emotionele intuïtie meende ze ze te kunnen horen, en dat was genoeg.

Want het was op dat moment, het moment waarop ze in zijn ogen keek, dat ze wist dat ze ook verliefd op hem was.

Gedurende een lang moment scheen geen van tweeën te weten wat ze moesten doen, maar toen pakte Paul haar hand. Met een zucht liet Adrienne hem begaan, en ze leunde naar achteren in haar stoel terwijl zijn duim strelend over haar huid ging.

Hij glimlachte en wachtte op een reactie, maar Adrienne leek dit voldoende te vinden. Hij wist niet wat er in haar omging, maar aan haar gezicht te oordelen leek het alsof ze één en al gevoel was: hoop en angst, verwarring en aanvaarding, hartstocht en terughoudendheid. In de veronderstelling dat hij te snel voor haar ging en ze ruimte nodig had, liet hij haar hand los en stond op.

'Ik doe nog wat hout op het vuur,' zei hij. 'Voor het uitgaat.'

Ze knikte en keek naar hem terwijl hij voor de haard hurkte, waarbij zijn broek strak om zijn dijen spande.

Dit kon niet waar zijn, dacht ze. Stel je voor, ze was geen tiener meer, maar een vrouw van vijfenveertig. Ze was oud en wijs genoeg om te weten dat zoiets als dit niet echt kon zijn. Dit was het gevolg van de storm, de wijn en het feit dat ze alleen waren. Het was elke mogelijke combinatie van minstens duizend willekeurige dingen, hield ze zich voor, maar liefde kon het niet zijn.

Maar toch, terwijl ze Paul nog een stuk hout op het

vuur zag leggen, wist ze heel zeker dat het dat wel was. De onmiskenbare blik in zijn ogen, het trillen van zijn stem toen hij haar naam zei... ze wist dat zijn gevoelens echt waren. En datzelfde, dacht ze, gold voor de hare.

Maar wat betekende dat? Voor hem of voor haar? De wetenschap dat hij verliefd op haar was, hoe mooi dat ook zijn mocht, was niet het enige dat hier gaande was. De blik in zijn ogen sprak ook van verlangen, en dat maakte haar bang, nog meer zelfs dan het besef dat hij van haar hield. Met elkaar naar bed gaan was voor haar altijd meer geweest dan alleen maar een prettig tijdverdrijf tussen twee mensen. Het was de essentie van alles wat een stel met elkaar kon delen: vertrouwen, trouw, hoop en dromen, een belofte om, ongeacht wat de toekomst mocht brengen, alles samen het hoofd te bieden. Ze had nooit begrepen hoe iemand een vluchtig avontuurtje kon hebben, of zomaar na een paar maanden van de ene partner naar de andere kon overstappen. Het maakte de liefdesdaad tot iets waar totaal geen betekenis meer aan werd gehecht, tot iets dat bijna even onbeduidend was als een afscheidskus bij de voordeur.

Hoewel ze van elkaar hielden, wist ze dat alles anders zou zijn zodra ze gehoor gaf aan haar gevoelens. Ze zou een grens overschrijden die ze in haar gedachten bepaald had, en als dat eenmaal gebeurd was, was er geen weg terug meer mogelijk. Als ze met Paul naar bed ging, dan betekende dat, dat ze voor de rest van hun leven een band met elkaar zouden hebben, en ze wist niet zeker of ze daar wel aan toe was.

Bovendien wist ze niet wat ze zou moeten doen. Niet alleen was Jack de enige man met wie ze ooit naar bed was geweest, maar gedurende achttien jaar was hij de enige geweest met wie ze naar had wíllen gaan. Het idee zichzelf aan een ander te moeten geven maakte haar een beetje bang. Het bedrijven van de liefde was een subtiele dans van geven en nemen, en de gedachte dat ze hem teleur zou kunnen stellen was bijna voldoende om haar ervan te weerhouden.

Maar ze wist dat er geen weg terug was. Niet meer. Niet na de manier waarop hij haar had aangekeken, en niet met wat ze voor hem voelde.

Ze stond op. Haar mond was droog en haar benen trilden. Paul zat nog steeds voor het vuur gehurkt. Ze ging vlak achter hem staan en legde haar handen op het zachte plekje tussen zijn nek en zijn schouders. Even voelde ze zijn spieren spannen, maar terwijl hij uitademde, ontspande hij zich. Hij draaide zich om en keek naar haar op, en dat was het moment waarop ze zich bewust aan hem overgaf.

Alles aan hem en aan de situatie voelde goed, en terwijl ze achter hem stond, wist ze dat ze bereid was om zich te laten gaan.

Buiten schoot de bliksem langs de hemel. Wind en regen beukten tegen de muren. De vlammen laaiden weer op, en het werd warmer in de kamer.

Paul kwam overeind en ging tegenover haar staan. Er lag een tedere uitdrukking op zijn gezicht, en hij pakte haar hand. Ze had verwacht dat hij haar zou kussen, maar dat deed hij niet. In plaats daarvan tilde hij haar hand op, legde hem tegen zijn wang en sloot zijn ogen alsof hij haar aanraking voor altijd in zijn geheugen wilde prenten.

Paul drukte een kus op de rug van haar hand, en liet hem los. Hij opende zijn ogen, boog zijn hoofd opzij en trok haar dichter tegen zich aan. Ze voelde zijn lippen in een reeks vederlichte kusjes over de zijkant van haar gezicht gaan, totdat ze ten slotte de hare vonden.

Ze leunde tegen hem aan terwijl hij haar in zijn armen nam; haar boezem drukte tegen zijn borst, en ze voelde de stoppeltjes op zijn gezicht toen hij haar een tweede keer kuste.

Zijn handen gingen strelend over haar rug en haar armen, en ze deed haar lippen vaneen om zijn tong te kunnen voelen. Hij kuste haar nek en haar wang, en toen hij zijn hand over haar buik liet gaan, was het alsof ze onder stroom kwam te staan. Haar adem stokte toen hij haar borsten beroerde, en ze kusten elkaar opnieuw en opnieuw totdat de wereld om hen heen tot iets onwerkelijks was geworden dat veraf was en niets met hen te maken had.

Het was voorbij, voor hem en voor haar, en terwijl ze elkaar nog inniger omhelsden, was het alsof ze niet alleen elkaar omhelsden, maar ook alsof ze alle pijnlijke herinneringen op een afstand hielden.

Paul begroef zijn handen in haar haren en ze legde haar hoofd tegen zijn borst. Zijn hart sloeg even snel als het hare.

Toen, toen ze eindelijk zover waren dat ze elkaar los konden laten, pakte ze zijn hand.

Ze deed een stapje naar achteren, trok zachtjes aan zijn hand en ging hem voor naar zijn kamer boven.

Dertien

———✦———

In de keuken keek Amanda haar moeder met grote ogen aan.

Ze had niets gezegd sinds Adrienne met haar verhaal was begonnen, en ze had ondertussen twee glazen wijn op – het tweede had ze wat sneller gedronken dan het eerste. Op dit moment zei geen van beiden iets, en Adrienne voelde hoe haar dochter in spanning afwachtte hoe het verhaal verder zou gaan.

Maar dat kon Adrienne haar niet vertellen, en dat was ook niet nodig. Amanda was een volwassen vrouw en ze wist wat het betekende om de liefde te bedrijven met een man. Ze was ook oud genoeg om te weten dat het ontdekken van elkaar slechts een, weliswaar heerlijk, onderdeel was van een veel groter geheel. Ze hield van Paul, en als hij niet zoveel voor haar had betekend, als het weekend alleen maar een lichamelijke waarde had gehad, zou ze zich die paar dagen alleen maar herinnerd hebben als een reeks van aangename momenten waar een bijzonder kantje aan had gezeten omdat ze sinds Jacks vertrek zo lang alleen was geweest. Maar wat zij en Paul met elkaar hadden gedeeld waren gevoelens geweest die veel te lang onderdrukt waren, en die uitsluitend voor hen tweeën bestemd waren geweest.

En daarbij, Amanda was haar dochter. Noem het ouderwets, maar ze beschouwde het als ongepast om haar dochter over dit soort details te vertellen. Er waren mensen die daarover konden praten, maar dat had Adrienne nooit kunnen begrijpen. De slaapkamer, had ze altijd gevonden, was een plaats van gedeelde geheimen.

Maar zelfs áls ze erover had willen vertellen, wist ze dat ze er nooit de woorden voor zou hebben kunnen vinden. Hoe had ze het gevoel moeten beschrijven dat ze had gehad toen hij was begonnen de knoopjes van haar blouse los te maken, of de huiveringen die langs haar huid waren getrokken toen hij haar buik had gestreeld? Of hoe verhit hun huid had gevoeld op het moment waarop hun beider lichamen met elkaar waren versmolten? Of het gevoel van zijn lippen toen hij haar had gekust, en wat de sensatie was geweest toen ze haar vingers diep in zijn huid had gedrukt? Of het geluid van zijn ademhaling en de hare, en hoe hun ademhaling versneld was toen ze als één in beweging waren gekomen?

Nee, dat waren dingen waarover ze niet wilde spreken. In plaats daarvan zou ze het aan haar dochters verbeeldingskracht overlaten om zich voor te stellen wat er was gebeurd, want Adrienne wist dat ze alleen zó een idee zou kunnen krijgen van de wondere magie die ze in Pauls armen had beleefd.

'Mam?' fluisterde Amanda ten slotte.

'Wil je weten wat er gebeurd is?'

Amanda slikte onzeker.

'Ja,' was het enige dat Adrienne ervan wilde zeggen.

'Bedoel je...'

'Ja,' zei ze opnieuw.

Amanda nam een slok wijn. Ze zette zichzelf schrap en liet het glas weer zakken. 'En...?'

Adrienne boog zich naar voren alsof ze niet wilde dat iemand anders het zou horen.

'Ja,' fluisterde ze, waarop ze opzij keek alsof ze zich terugtrok in het verleden.

Die middag hadden ze samen de liefde bedreven, en ze hadden de rest van de dag in bed doorgebracht. Buiten loeide de storm die bomen ontwortelde en takken tegen het huis aan zwiepte. Binnen hield Paul haar, met zijn lippen op haar wang gedrukt, in zijn armen terwijl ze allebei aan vroeger dachten. Ze spraken over hun dromen voor de toekomst en verbaasden zich over de gedachten en gevoelens die tot dit moment hadden geleid.

Dit was voor haar even nieuw geweest als voor Paul. In de laatste paar jaar van haar huwelijk met Jack – en misschien zelfs wel tijdens het grootste gedeelte ervan, had ze zich op dat moment gerealiseerd – was het bedrijven van de liefde een kortstondig mechanisch gebeuren geweest waarin hartstocht geen rol meer had gespeeld en er van tederheid al helemaal geen sprake meer was geweest. En na afloop spraken ze nog maar zelden met elkaar, omdat Jack zich doorgaans vrijwel meteen op zijn andere zij draaide en een paar minuten later in slaap viel.

Niet alleen had Paul haar erna urenlang in zijn armen gehouden, maar zijn tedere omhelzing had haar ook laten weten dat dit voor hem evenveel betekende als de intieme momenten die ze ervoor met elkaar hadden gedeeld. Hij kuste haar haren en haar gezicht, en telkens wanneer hij een deel van haar lichaam streelde, zei hij haar, op die plechtige manier van hem waar ze in die korte tijd zo van was gaan houden, dat hij haar mooi vond en dat hij haar aanbad.

Hoewel ze het, door de dichtgespijkerde ramen, niet wisten, was de hemel buiten zwart geworden. Door de wind hoog opgezweepte golven teisterden het duin en spoelden het weg, en het water speelde rond de funderingen van het hotel. De antenne werd van het dak gerukt en kwam ergens aan de andere kant van het eiland terecht. Zand en regen wurmden zich door de kieren van de achterdeur die trilde onder de kracht van de storm. Ergens in de kleine uurtjes viel het licht uit. Ze bedreven de liefde voor de tweede keer in het diepe duister, en toen ze voldaan waren vielen ze ten slotte in elkaars armen in slaap op het moment waarop het oog van de storm over Rodanthe trok.

Veertien

Toen ze zaterdagochtend wakker werden waren ze uitgehongerd. Er was nog steeds geen licht, maar de wind was al iets afgenomen. Paul ging naar beneden om de koeler te halen en ze aten lekker in bed. Hun stemming liep uiteen van vrolijk lachen tot serieuze momenten, van elkaar plagen tot zwijgen, en ze genoten van elkaar en van het moment.

Tegen de middag was de storm in zoverre geluwd dat ze het aandurfden om buiten op de veranda te gaan staan. De lucht was alweer wat opgeklaard, maar het strand lag vol met rommel: oude banden en trappen van veranda's die te dicht bij het water waren gebouwd en door de hoge golven waren weggespoeld. De temperatuur was ook alweer wat aangenamer, en hoewel het nog steeds te koud was om zonder dikke jas buiten te staan, trok Adrienne haar handschoenen uit om Pauls hand in de hare te kunnen voelen.

Tegen twee uur was er weer stroom, om even later opnieuw uit te vallen, en twintig minuten daarna opnieuw aan te gaan en aan te blijven. Het eten in de koelkast was niet bedorven, dus Adrienne maakte een paar biefstukken voor hen klaar, en ze genoten van een ontspannen, langdurig maal en hun derde fles wijn. Na afloop gingen ze samen in bad. Paul zat achter haar, en zij lag met haar hoofd tegen zijn borst geleund terwijl hij met het washandje over haar buik en borsten streelde. Adrienne sloot haar ogen, zakte weg in zijn armen en gaf zich over aan het gevoel van het warme water op haar huid.

Die avond gingen ze naar het dorp. Rodanthe begon na de storm weer tot leven te komen, en ze brachten een deel van de avond door in een smoezelige bar. Ze luisterden naar de muziek van de jukebox en dansten op een paar nummers. Het was vol met plaatselijke bewoners die allemaal wilden vertellen hoe het hun tijdens de storm was vergaan, en Paul en Adrienne waren de enigen die zich op de dansvloer waagden. Hij trok haar dicht tegen zich aan en ze bewogen in trage cirkels, haar lichaam tegen het zijne, en merkten niets van het geroezemoes om hen heen noch van de nieuwsgierige blikken van de andere gasten.

Zondag haalde Paul de stormluiken eraf en ruimde ze weer weg, en hij zette de schommelstoelen terug op de veranda. Voor het eerst sinds de storm was er weer wat blauwe lucht te zien, en ze maakten een strandwandeling zoals ze op hun eerste avond samen hadden gedaan, en waarbij het hun opviel hoe anders alles er nu uitzag. De zee had lange, diepe geulen gegraven en delen van het strand weggeslagen, en ze zagen een groot aantal omgewaaide bomen. Nog geen kilometer vanaf het hotel was een huis dat voor de helft was ingestort nadat de zee de pilaren onder de voorgevel had weggespoeld. De meeste muren waren ingestort, de ramen waren bezweken en een deel van het dak was weggewaaid. De vaatwasmachine lag op zijn kant naast een stapel gebroken latten die zo te zien de veranda waren geweest. Aan de achterzijde van het huis, aan de straatkant, had zich een groepje mensen verzameld die, vermoedelijk voor de verzekering, druk bezig waren met het maken van foto's, en dat was het moment waarop ze zich realiseerden hoe erg de storm tekeer was gegaan.

Toen ze terugliepen was het vloed. Ze liepen langzaam, met hun schouders losjes tegen elkaar, toen ze de schelp zagen liggen. De geribbelde buitenkant stak voor een deel onder het zand uit, en er lagen duizenden stukjes van gebroken schelpen omheen. Toen Paul hem had opgeraapt en aan haar gaf, drukte ze hem tegen haar oor, en dat was het moment geweest waarop hij haar had geplaagd nadat ze had gezegd dat ze de zee erin kon horen. Hij had zijn armen om haar heen geslagen en haar gezegd dat ze even volmaakt was als de schelp die ze zojuist hadden gevonden. Hoewel Adrienne wist dat ze hem altijd zou bewaren, had ze er op dat moment nog geen idee van gehad hoeveel hij uiteindelijk voor haar zou gaan betekenen.

Het enige dat ze toen had geweten, was dat ze werd omhelsd door een man van wie ze hield en ze wou dat ze zijn armen altijd zo om zich heen kon blijven voelen.

Maandagochtend stond Paul vroeg op zonder haar te wekken, en hoewel hij beweerd had dat hij niet kon koken, verraste hij haar met een ontbijt op bed en werd ze wakker van het pittige aroma van de verse koffie. Hij zat naast haar op de rand van het bed terwijl ze at, en lachte toen ze rechtop in de kussens ging zitten en haar boezem probeerde te bedekken met het laken dat voortdurend omlaagviel. De beboterde toastjes waren zalig, de bacon was krokant zonder verbrand te zijn, en hij had precies de juiste hoeveelheid geraspte kaas op het roerei gedaan.

Hoewel haar kinderen haar op Moederdag ontbijt op bed brachten, was dit de eerste keer dat een man haar op die manier verwende. Jack was niet iemand die op zulk soort ideeën kwam.

Toen ze klaar was, ging Paul joggen terwijl zij een douche nam en zich aankleedde. Paul kwam terug, stopte zijn vuile kleren in de wasmachine en ging ook onder de douche. Toen hij even later de keuken weer binnenkwam, was Adrienne juist aan de telefoon met Jean. Ze had gebeld om te horen hoe ze alles hadden overleefd. Terwijl Adrienne al haar vragen beantwoordde, ging Paul achter haar staan, sloeg zijn armen om haar heen en kuste haar nek.

Onder het telefoneren hoorde Adrienne het onmiskenbare geluid van de voordeur van het hotel die krakend openging, en vervolgens dat van zware laarzen op de houten vloer. Ze zei tegen Jean dat er iemand was gekomen, hing op en verliet de keuken om te zien wie het was. Nog geen minuut later was ze weer terug, en ze keek Paul aan alsof ze niet goed wist wat ze moest zeggen. Ze haalde diep adem.

'Hij is gekomen om met je te praten,' zei ze.

'Wie?'

'Robert Torrelson.'

Robert Torrelson wachtte in de zitkamer, en toen Paul er binnenging, zat hij met gebogen hoofd op de bank. Hij keek op met een strak en ondoorgrondelijk gezicht. Voor zijn komst had Paul zich afgevraagd of hij Robert Torrelson wel zou herkennen, maar nu herinnerde hij zich dat hij indertijd tegenover deze man had gezeten. Afgezien van zijn haar, dat in het afgelopen jaar witter was geworden, zag hij er nog precies zo uit als in de wachtkamer van het ziekenhuis. Zijn ogen waren even hard als Paul verwacht had dat ze zouden zijn.

Robert zei aanvankelijk niets. Hij keek naar Paul die de schommelstoel tegenover de bank nam, zodat ze elkaar aan zouden kunnen kijken.

'U bent gekomen,' zei Robert Torrelson ten slotte. Hij had een krachtige, hese stem met een zuidelijk accent, een stem die klonk alsof hij gerijpt was door het jarenlang roken van Camel zonder filter.

'Ja.'

'Dat had ik niet verwacht.'

'Het heeft een tijdje geduurd voor ik besloot te komen.'

Robert snoof alsof hij dat verwacht had. 'Mijn zoon zei dat hij met u had gesproken.'

'Ja.'

Robert glimlachte bitter in de wetenschap van wat er was gezegd. 'Hij zei dat u niet geprobeerd hebt uzelf te verdedigen.'

'Dat klopt,' zei Paul.

'Maar toch bent u er nog steeds van overtuigd dat u geen fouten hebt gemaakt, of wel?'

Paul keek weg en dacht aan wat Adrienne had gezegd. Nee, het zou hem nooit lukken om hen op andere gedachten te brengen. Hij ging rechterop zitten.

'In uw brief schreef u dat u me wilde spreken en dat het belangrijk was. En nu ben ik hier. Zegt u maar wat ik voor u kan doen.'

Robert haalde een pakje sigaretten en een doosje lucifers uit het borstzakje van zijn shirt. Hij stak er een op, trok een asbak naar zich toe en leunde naar achteren.

'Wat is er misgegaan?' vroeg hij.

'Niets,' antwoordde Paul. 'De operatie is volledig naar wens verlopen.'

'Waarom is ze dan gestorven?'

'Ik wou dat ik dat wist, maar ik weet het niet.'

'Hebben uw advocaten u gezegd dat u dat moest zeggen?'

'Nee,' antwoordde Paul op effen toon, 'het is de waarheid. Ik dacht dat u dat wilde horen. Als ik u een ander antwoord had kunnen geven, zou ik dat hebben gedaan.'

Robert bracht de sigaret naar zijn lippen en inhaleerde. Toen hij de rook uitblies kon Paul zijn ademhaling zachtjes horen piepen als de lucht die uit een oude accordeon ontsnapt.

'Toen we die eerste keer bij u kwamen, wist u toen dat ze een tumor had?'

'Nee,' zei Paul, 'dat wist ik niet.'

Robert nam opnieuw een trekje van zijn sigaret. Toen hij opnieuw sprak, had zijn stem een zachtere klank gekregen, alsof hij overschaduwd werd door de herinnering aan vroeger.

'Hij was toen natuurlijk ook nog niet zo groot. Hij was niet groter dan een halve walnoot, en de kleur viel toen ook nog wel mee. Maar toch kon je het toen al duidelijk zien, net alsof iemand iets onder haar huid had geduwd. En ze had er altijd al last van gehad, als kind al. Ik ben een paar jaar ouder dan zij, en ik weet nog dat ze op weg naar school altijd naar haar schoenen keek, en het was niet moeilijk te begrijpen waarom.'

Robert zweeg en ordende zijn gedachten. Paul wist dat hij zijn mond moest houden.

'Zoals zovelen in die tijd maakte ze haar school niet af omdat ze thuis moest helpen, en in die tijd heb ik haar leren kennen. Ze werkte op de pier waar we onze vangst uitlaadden, en ze bediende de weegschaal. Ik geloof dat ik zeker een jaar lang geprobeerd heb een praatje met haar te maken tot ze eindelijk iets terugzei, maar ik bleef haar aardig vinden. Ze was eerlijk en ze werkte hard, en ook al bleef ze haar gezicht achter haar haren verbergen, zo nu en dan lukte het me te zien wat eronder zat, en dan keek ik in de mooiste ogen die ik ooit heb gezien. Ze waren donkerbruin en heel zacht. Ogen van iemand die nooit een mens kwaad zou doen, omdat ze het gewoon niet in zich had. En ik bleef maar proberen om haar aan de praat te krijgen, en zij bleef me maar negeren tot ze uiteindelijk begrepen moet hebben dat ik het niet op zou geven. Ik vroeg haar mee uit en ze zei ja, maar die hele avond heeft ze me amper aangekeken. Ze zat maar steeds naar die schoenen van haar te staren.'

Robert zette zijn handen tegen elkaar.

'Toen heb ik haar nog een keer mee uit gevraagd, en de tweede keer was het beter. Ik realiseerde me dat ze, als ze wilde, heel grappig kon zijn. Hoe beter ik haar leerde kennen, des te aardiger ik haar vond, en na een poosje drong het tot me door dat ik verliefd op haar was. Dat ding op haar gezicht kon me niet schelen. Het kon me toen niet schelen en afgelopen jaar kon het me nog steeds niet schelen. Maar haar stoorde het wel. Het heeft haar altijd gestoord.'

Hij zweeg.

'In de daaropvolgende twintig jaar kregen we zeven kinderen, en het leek wel alsof dat ding, bij elke baby die ze de borst gaf, groter werd. Ik weet niet of dat echt zo was of niet, maar zelf zei ze het ook. Maar al mijn kinderen, en zelfs John die u vandaag hebt ontmoet, beschouwden haar als de beste moeder ter wereld. En dat was ze ook. Ze was streng wanneer dat nodig was en de rest van de tijd was ze de liefste vrouw die er op aarde rondliep. En daarom hield ik van haar en we waren gelukkig. Het leven hier is doorgaans niet het gemakkelijkste wat er is, maar dankzij haar heb ik het nooit moeilijk gevonden. En ik was trots op haar, en ik was er trots op om met haar gezien te worden en ik zorgde ervoor dat iedereen hier dat wist. Ik dacht dat dat voldoende zou zijn, maar dat was het kennelijk toch niet.'

Paul bleef stil zitten terwijl Robert verderging met zijn verhaal.

'Op een avond zag ze op de televisie een programma over een vrouw die zo'n tumor had gehad, en ze lieten foto's zien hoe ze er vóór de operatie uit had gezien. Ik denk dat ze het toen in haar hoofd heeft gezet dat er een mogelijkheid was om voorgoed van dat ding af te zijn. En vanaf die tijd begon ze erover dat ze zich wilde laten opereren. Het was duur en we hadden geen verzekering, maar ze bleef maar vragen of er niet toch een manier was waarop we het zouden kunnen betalen.'

Robert keek Paul recht aan.

'Het lukte me niet om haar op andere gedachten te brengen. Ik zei haar dat het mij niets kon schelen, maar ze wilde niet naar me luisteren. Soms vond ik haar in de badkamer terwijl ze haar gezicht stond te betasten, of ik hoorde haar huilen, en ik begreep hoe belangrijk het voor haar was. Ze had haar leven lang met dat ding moeten leven, en ze had er schoon genoeg van. Ze had genoeg van de manier waarop vreemden haar zo min mogelijk aan probeerden te kijken, en van kinderen die er juist extra lang naar staarden. En uiteindelijk gaf ik toe. Ik haalde al ons spaargeld van de bank, nam een hypotheek op mijn boot en we maakten een afspraak met u. Ze was die ochtend zo opgewonden. Ik kan me niet herinneren dat ik haar ooit zo blij heb gezien, en alleen al het feit dat ze zo straalde gaf me het gevoel dat ik de juiste beslissing had genomen. Ik zei haar dat ik op haar zou wachten en dat ik meteen naar haar toe zou komen zodra ze van de narcose was bijgekomen, en weet u wat ze toen tegen me zei? Wat ze als laatste tegen me heeft gezegd?'

Robert keek Paul aan om zich ervan te verzekeren dat hij zijn volle aandacht had.

'Ze zei: "Ik heb mijn leven lang niets anders gewild dan mooi voor je zijn." En het enige wat ik toen, toen ze dat zei, kon bedenken, was dat ze dat altijd was geweest.'

Paul liet zijn hoofd zakken, en hoewel hij probeerde te slikken, had hij een brok in zijn keel.

'Maar van al die dingen had u geen weet. Voor u was ze gewoon een mevrouw die zich kwam laten opereren, of de mevrouw die was overleden, of de mevrouw met dat ding op haar gezicht, of de mevrouw met die familie die een officiële klacht tegen u had ingediend. Ik vond dat u het hele verhaal moest kennen. Daar had ze recht op. Dat recht, en méér dan dat, had ze verdiend met het leven dat ze heeft geleid.'

Robert Torrelson tikte het laatste beetje as af in de asbak, en doofde zijn sigaret.

'U bent de laatste met wie ze ooit heeft gesproken, de laatste die ze in haar leven heeft gezien. Ze was de beste vrouw ter wereld, en u wist niet eens wie u voor zich had.' Hij zweeg om die woorden door te laten dringen. 'Maar nu weet u dat wel.'

Toen hij dat had gezegd stond hij op, en het volgende moment was hij weg.

Nadat Adrienne had gehoord wat Robert Torrelson had gezegd, veegde ze Pauls tranen weg.

'Gaat het?'

'Ik weet niet,' zei hij. 'Ik voel me als verdoofd.'

'Dat verbaast me niets. Je hebt een heleboel over je heen gekregen.'

'Ja,' zei Paul, 'dat kun je wel zeggen.'

'Ben je blij dat je bent gekomen? En dat hij je dat verhaal heeft verteld?'

'Ja en nee. Voor hem was het belangrijk dat ik wist wie ze was, dus daar ben ik blij om. Maar tegelijkertijd maakt het mij ook verdrietig. Ze hielden zoveel van elkaar, en nu is ze er niet meer.'

'Ja.'

'Het is zo oneerlijk.'

Ze schonk hem een verdrietig glimlachje. 'Dat is het. Hoe groter de liefde, hoe groter het verdriet wanneer het is afgelopen. Die twee elementen zijn altijd onverbrekelijk met elkaar verbonden.'

'Zelfs voor jou en mij?'

'Voor iedereen,' zei ze. 'Het beste waar we in het leven op kunnen hopen, is dat het zo lang mogelijk duurt voor het ons treft.'

Hij trok haar op zijn schoot. Hij kuste haar lippen, sloeg zijn armen om haar heen en trok haar tegen zich aan en liet zich door haar omhelzen. Lange tijd bleven ze zo zitten.

Maar toen ze later op de avond weer de liefde met elkaar bedreven, moest Adrienne weer denken aan wat ze had gezegd. Het was hun laatste nacht samen in Rodanthe, en hun laatste nacht samen voor minstens een heel jaar. En hoezeer ze ook haar best deed om de tranen de baas te blijven, ze kon er niets aan doen dat ze geruisloos over haar wangen liepen.

Vijftien

Toen Paul dinsdagochtend wakker werd, was Adrienne niet in bed. Hij had haar in de loop van de nacht zien huilen, maar hij had er niets van gezegd omdat hij wist dat hij dan ook zou moeten huilen. Desondanks was hij innerlijk verscheurd geweest en hij had uren wakker gelegen. Hij was wakker geweest toen zij in zijn armen in slaap was gevallen, en hij had haar dicht tegen zich aan gehouden omdat hij haar niet wilde laten gaan, alsof hij van tevoren iets wilde geven voor het jaar waarin ze elkaar niet zouden zien.

Ze had zijn kleren die in de droger hadden gezeten voor hem opgevouwen en Paul haalde eruit wat hij die dag aan wilde trekken, waarna hij de rest in zijn reistassen pakte. Nadat hij had gedoucht en zich had aangekleed, ging hij met pen en papier op de rand van zijn bed zitten en schreef zijn gedachten op. Hij liet het briefje achter in zijn kamer, bracht zijn bagage naar beneden en zette alles klaar bij de voordeur. Adrienne was in de keuken. Ze stond over het fornuis gebogen en maakte roerei voor hen klaar. Naast haar, op het aanrecht, stond een kop koffie. Toen ze zich naar hem omdraaide, zag ze dat haar ogen rood waren.

'Hallo,' zei hij aarzelend.

'Hallo,' zei ze, terwijl ze zich weer afwendde. Ze begon driftig in de eieren te roeren en hield haar blik strak op de pan gericht. 'Ik nam aan dat je nog wat wilde ontbijten voor je vertrek.'

'Dank je,' zei hij.

'Ik heb een thermosfles van thuis meegenomen toen ik hier kwam, en als je koffie wilt voor onderweg, kun je die krijgen.'

'Dank je, maar dat hoeft niet. Ik red me wel.'

Ze bleef in de pan roeren. 'En als je broodjes mee wilt, dan maak ik er een paar voor je.'

Paul ging dichter bij haar staan. 'Dat hoef je niet te doen. Ik kan onderweg altijd wat kopen, als ik wil. En om eerlijk te zijn geloof ik niet dat ik erg veel honger zal hebben.'

Omdat hij het gevoel had dat ze niet luisterde, legde hij zijn hand op haar rug. Hij hoorde haar haperend uitademen, net alsof ze verschrikkelijk haar best deed om niet te huilen.

'Hé...'

'Het gaat alweer,' fluisterde ze.

'Weet je dat zeker?'

Ze knikte en snoof terwijl ze de pan van het fornuis haalde. Ze pinkte een paar tranen weg, maar keek hem nog steeds niet aan. Ineens deed ze hem denken aan het moment waarop hij haar voor het eerst had gezien, en hij kreeg een brok in zijn keel. Hij kon niet geloven dat er sindsdien nog geen week was verstreken.

'Adrienne... niet...'

Nu keek ze naar hem op.

'Niet, wat? Niet verdrietig zijn? Jij gaat naar Ecuador en ik moet terug naar Rocky Mount. Vind je het gek dat ik niet wil dat dit nu al voorbij moet zijn?'

'Dat wil ik ook niet.'

'En daarom ben ik verdrietig. Omdat ik dat ook weet.'

Ze aarzelde en probeerde haar emoties de baas te blijven. 'Weet je, toen ik vanochtend opstond, heb ik me heilig voorgenomen om niet meer te huilen. Ik zei bij mezelf dat ik sterk zou zijn en gelukkig, opdat je me zo in herinnering zou houden. Maar toen ik de douche hoorde, drong het ineens volop tot me door dat jij, wanneer ik morgenochtend wakker word, hier niet meer zult zijn, en kreeg ik het ineens te kwaad. Maar nu gaat het alweer. Ik red me wel, echt. Ik ben een taaie.'

Ze zei het alsof ze zichzelf probeerde te overtuigen. Paul pakte haar hand.

'Adrienne... gisteravond, nadat je in slaap was gevallen, bedacht ik dat ik misschien nog wat langer zou kunnen blijven. Een maandje of twee extra maakt echt niet zoveel verschil, en op die manier zouden we nog een poosje samen kunnen zijn ...'

Ze schudde haar hoofd en viel hem in de rede.

'Nee,' zei ze, 'dat kun je Mark niet aandoen. Niet na alles wat er tussen jullie is gebeurd. En zelf heb je dit ook nodig, Paul. Het zit al tijden aan je te knagen, en als je nu niet gaat ben ik bang dat je mogelijk nooit meer zult gaan. Hoe langer we samen zijn, des te moeilijker zal het zijn om afscheid te nemen, en ik zou niet met mezelf kunnen leven in de wetenschap dat ik degene was die tussen jou en je zoon was gekomen. En ook al zóu je later gaan, dan zou ik nog steeds moeten huilen.'

Ze schonk hem een dapper glimlachje en vervolgde: 'Je kunt niet blijven. We wisten alle twee dat je zou gaan voordat er ook maar iets tussen ons was. Het is moeilijk, dat is een feit, maar we weten alle twee dat het juist is dat je gaat – zo is het nu eenmaal als je kinderen hebt. Soms moet je iets offeren, en dit is zo'n moment.'

Hij perste zijn lippen op elkaar en knikte. Hij wist dat ze gelijk had, maar wou wanhopig graag dat dat niet zo was.

'Wil je me beloven dat je op me zult wachten?' vroeg hij ten slotte met hese stem.

'Natuurlijk. Als ik dacht dat je voorgoed weg zou blijven, zou ik nu zo verschrikkelijk huilen dat we in een roeiboot zouden moeten ontbijten.'

Ondanks alles moest hij lachen. Adrienne leunde tegen hem aan. Ze kuste hem voordat ze zich door hem liet omhelzen. Hij voelde de warmte van haar lichaam en ving een vleug op van haar parfum. Ze voelde zo goed in zijn armen. Zo volmaakt.

'Ik weet niet hoe of waarom het is gebeurd, maar ik geloof dat mijn komst hier was voorbestemd,' zei hij. 'Om jou te vinden. Jarenlang heeft er iets aan mijn leven ontbroken, maar ik wist niet wat het was. Maar nu weet ik het.'

Ze sloot haar ogen. 'Voor mij is het net zo,' fluisterde ze. Hij kuste haar haren en legde zijn wang tegen de hare. 'Zul je me missen?'

Adriennne forceerde een glimlachje. 'Elke minuut.'

———

Ze ontbeten samen. Adrienne had geen honger, maar ze dwong zichzelf te eten, en ze dwong zichzelf om van tijd tot tijd naar Paul te glimlachen. Paul at traag en had veel langer nodig dan anders om zijn bord leeg te krijgen. Toen ze klaar waren, zetten ze de borden op het aanrecht.

Het was bijna negen uur, en Paul trok haar mee langs de receptiebalie naar de voordeur. Hij tilde zijn reistassen om de beurt op en hees de banden over zijn schouders. Adrienne hield zijn leren tasje met zijn tickets en paspoort vast, en gaf het aan hem.

'Dat is het dan,' zei hij.

Adrienne perste haar lippen op elkaar. Pauls ogen waren, net als die van haar, roodomrand, en hij hield ze neergeslagen alsof hij ze probeerde te verbergen.

'Je weet hoe je me in het ziekenhuis kunt bereiken. Ik weet niet hoe goed of hoe slecht de post werkt, maar ik denk dat alles uiteindelijk wel aankomt. Mark heeft altijd alles gekregen wat Martha hem heeft gestuurd.'

'Ja.'

Hij schudde met zijn tasje. 'En jouw adres zit hierin. Ik schrijf je zodra ik ben aangekomen. En ik bel je zodra ik kan.'

'Goed.'

Hij legde zijn hand op haar wang en ze leunde ertegenaan. Ze wisten dat er verder niets meer te zeggen was.

Ze volgde hem naar buiten en de veranda af, en keek naar hem terwijl hij zijn tassen op de achterbank zette. Nadat hij het portier had dichtgeslagen bleef hij haar lange seconden aankijken. Hij vond het verschrikkelijk moeilijk om de verbinding met haar te verbreken en wilde opnieuw dat hij kon blijven. Ten slotte deed hij een stapje naar haar toe en kuste haar op beide wangen en op haar mond. En hij nam haar in zijn armen.

Adrienne kneep haar ogen stijf dicht. Hij ging niet voorgoed, hield ze zichzelf voor. Ze waren voor elkaar voorbestemd en wanneer hij terug was zouden ze alle tijd van de wereld samen hebben. Ze zouden oud worden samen. Ze had al zo lang zonder hem geleefd – een extra jaartje kon er nog best bij, of niet?

Maar zo gemakkelijk was het niet. Ze wist dat ze hem, als haar kinderen ouder waren geweest, naar Ecuador gevolgd zou zijn. Als zijn zoon hem niet nodig had gehad, had hij hier, bij haar kunnen blijven. Ze konden niet samen zijn omdat ze verantwoordelijkheden jegens anderen hadden, en ineens vond Adrienne het leven wreed en oneerlijk. Hoe kon het zijn dat hun kans op geluk afhankelijk was van anderen?

Paul haalde diep adem en maakte zich ten slotte van haar los. Hij wendde zijn blik even af, maar keek toen weer terug naar haar terwijl hij een traan wegstreek. Ze volgde hem naar de linkerkant van de auto en keek naar hem terwijl hij instapte. Met een vaag glimlachje stak hij het sleuteltje in het contact, draaide het, en de motor sprong aan. Ze stapte weg bij het open portier en hij trok het dicht. Toen draaide hij het raampje open.

'Eén jaar,' zei hij, 'en dan ben ik terug. Dat beloof ik je.'

'Eén jaar,' fluisterde ze op haar beurt.

Hij schonk haar een verdrietig glimlachje, schakelde in de achteruit en begon langzaam weg te rijden. Ze draaide zich opzij en keek hem na met pijn in het hart.

Aan het einde van de oprit keerde hij, en voor de laatste keer drukte hij zijn hand tegen het raampje. Adrienne stak haar hand op en zag de auto steeds verder bij haar vandaan rijden – weg van Rodanthe, weg van haar.

Ze bleef op de oprit staan. De auto werd kleiner en kleiner in de verte, en het motorgeluid stierf weg. En toen, het volgende moment, was hij verdwenen alsof hij er nooit was geweest.

Het was een frisse ochtend. De lucht was blauw met kleine witte wolkjes. Een zwerm sterntjes vloog over. Paarse en gele viooltjes waren opengegaan in de zon. Adrienne draaide zich om en liep terug naar de deur.

Binnen zag alles er precies zo uit als op de dag van haar aankomst. Alles stond keurig op zijn plaats. De vorige

NICHOLAS SPARKS

dag had hij de open haard schoongemaakt, en er nieuwe houtblokken naast gelegd. De schommelstoelen stonden weer op hun oorspronkelijke plek. De balie was keurig netjes opgeruimd, en alle sleutels hingen weer op hun plaats.

Wat over was, was de geur. De geur van hun gedeelte ontbijt, de geur van aftershave – zijn geur kleefde nog aan haar handen, aan haar gezicht en aan haar kleren.

Het was te veel voor Adrienne. De geluiden van het hotelletje van Rodanthe waren niet langer wat ze geweest waren. De echo van intieme gesprekken was verstomd, de warmwaterleidingen tikten niet meer, en ze hoorde geen voetstappen meer in zijn kamer. Verstild was het brullen van de golven, het aanhoudende beuken van de storm en het knetteren van het vuur. In plaats daarvan was het huis nu gevuld met de geluiden van een vrouw die alleen maar getroost wilde worden door de man van wie ze hield, een vrouw die niets anders kon dan huilen.

Zestien

Adrienne was klaar met haar verhaal en ze had een droge keel. Ondanks de opbeurende werking van een enkel glaasje wijn, had ze pijn in haar rug van het te lang in een bepaalde houding zitten. Ze verschoof op haar stoel, voelde een pijnscheut en herkende het begin van artritis. Toen ze dat tegen haar dokter had gezegd, moest ze in een naar ammonia ruikend kamertje op de onderzoektafel gaan zitten. Hij had haar armen opgetild en haar gevraagd om haar knieën te buigen, en toen had hij haar iets voorgeschreven wat ze nooit had gekocht. Zo erg was het nog niet, zei ze bij zichzelf; en bovendien had ze een theorie dat ze, als ze eenmaal zou beginnen met pillen slikken voor een kwaaltje, het niet lang zou duren voor ze er meer en meer zou moeten slikken voor alle mogelijke ziektes waar veel mensen van haar leeftijd onder leden.

Het zou niet lang duren voor ze een verzameling pillen in alle kleuren van de regenboog zou hebben, een paar die ze 's ochtends zou moeten nemen, een paar 's avonds, een paar bij de maaltijd en een paar ertussendoor, en dan zou ze een overzicht op de binnenkant van het deurtje van de medicijnkast moeten plakken om ze goed uit elkaar te houden. En dat was haar veel te veel moeite.

Amanda zat met gebogen hoofd. Adrienne keek naar haar in het besef dat het niet lang meer zou duren voor de vragen kwamen. Ze waren onvermijdelijk, maar ze hoopte dat ze er niet meteen mee zou komen. Ze had tijd nodig om haar gedachten op een rijtje te krijgen, zodat ze kon afmaken waar ze aan was begonnen.

Ze was blij dat Amanda bereid was geweest om naar haar huis te komen. Ze woonde hier al meer dan dertig jaar en het was haar thuis – meer nog dan het huis waarin ze was opgegroeid. Toegegeven, een paar deuren waren verzakt, de vloerbedekking in de gang was tot op de draad versleten, en de kleuren van de badkamertegels waren allang niet meer in de mode, maar er ging iets geruststellends uit van de wetenschap dat ze de kampeerspullen in de linkerhoek van de zolder kon vinden, of dat de pomp van de centrale verwarming, wanneer hij aan het begin van de winter voor het eerst werd aangezet, de stoppen liet doorslaan. Het huis had zijn vaste gewoontes, net als zijzelf, en in de loop der jaren waren ze zodanig met elkaar versmolten dat haar leven er alleen maar meer voorspelbaar en prettiger op was geworden.

Met de keuken was het precies zo. Zowel Matt als Dan

hadden haar gedurende de afgelopen paar jaar meer dan eens aangeboden om de boel te renoveren, en voor haar verjaardag hadden ze een aannemer besteld om alles op te komen nemen. Hij had op de deurtjes geklopt, had zijn schroevendraaier in de half verrotte hoek van het aanrecht geprikt, had lichtschakelaars aan- en uitgedraaid en zachtjes gefloten toen hij haar ouderwetse fornuis had gezien. Uiteindelijk had hij haar geadviseerd om zo goed als alles eruit te gooien en te vernieuwen, waarna hij een prijsopgave en een lijst met referenties had achtergelaten. Hoewel Adrienne wist dat haar zoons het goed bedoelden, had ze hun gezegd dat ze er beter aan zouden doen het geld te bewaren voor iets wat ze zelf nodig hadden.

En daarbij, de oude keuken beviel haar zoals hij was. Ze wilde het karakter en de herinneringen die eraan vastzaten bewaren, en met een renovatie zou dat alles verloren gaan. Het was uiteindelijk in deze ruimte dat ze als gezin – voor en nadat Jack was vertrokken – de meeste tijd hadden doorgebracht. De kinderen hadden hun huiswerk gemaakt aan de tafel waar ze nu aan zat; jarenlang had de enige telefoon in huis hier aan de muur gehangen, en hoe vaak had het snoer niet tussen de achterdeur en de sponning geklemd gezeten wanneer een van de kinderen buiten had staan bellen om niet door de anderen gehoord te kunnen worden? Op de staanders van de schappen in de voorraadkast stonden de potloodstreepjes die aangaven hoe snel haar kinderen in de loop der jaren waren gegroeid, en dat wilde ze niet laten slopen voor iets nieuws en beters, hoe handig het ook mocht zijn. In tegenstelling

197

tot de zitkamer, waar de televisie voortdurend had staan blèren, of de slaapkamers waar iedereen zich terugtrok om alleen te zijn, was dit de plek waar iedereen kwam om te praten en te luisteren, om te leren en te onderwijzen, om te lachen en te huilen. Dit was de plek waar hun huis was zoals het behoorde te zijn; dit was de plek waar Adrienne zich altijd het meest tevreden en voldaan had gevoeld.

En dit was de plek waar Amanda zou ontdekken wie haar moeder in werkelijkheid was.

Adrienne dronk haar glas leeg en schoof het van zich af. Het regende niet meer, maar de druppels op het raam leken het licht zodanig om te vormen dat de wereld buiten veranderd leek in een plek die ze niet langer helemaal herkende. Daar keek ze niet van op. Naarmate ze ouder was geworden had ze steeds vaker het gevoel dat, wanneer haar gedachten terugkeerden naar het verleden, alles om haar heen leek mee te veranderen. Nu, terwijl ze haar verhaal had zitten vertellen, was het geweest alsof de tussenliggende jaren weggevallen waren, en hoewel het een bespottelijk idee was, vroeg ze zich af of haar dochter vond dat ze een jongere uitstraling had gekregen.

Nee, besloot ze, dat had ze waarschijnlijk niet, maar dat kwam door Amanda's leeftijd. Amanda kon zich evenmin voorstellen hoe het was om zestig te zijn, als hoe het was om een man te zijn, en Adrienne vroeg zich soms wel eens af wanneer haar dochter zich zou realiseren dat de meeste mensen niet zo heel veel van elkaar verschilden. Jong en oud, man of vrouw, bijna iedereen die ze kende droomde van dezelfde dingen: ze verlangden naar vrede in hun hart, naar een rustig bestaan en naar geluk. Het verschil, dacht Adrienne, was dat de meeste jonge mensen leken te denken dat die dingen in de toekomst lagen, terwijl ze voor de meeste oudere mensen juist tot het verleden behoorden.

En voor haar was dat ook zo, in ieder geval voor een deel, maar hoe heerlijk het verleden ook was geweest, ze weigerde in die tijd te verdwalen zoals zoveel van haar vriendinnen deden. Het verleden was heus niet alleen maar een zonovergoten rozentuin; het verleden bevatte net zo goed een flinke portie pijn en verdriet. Indertijd, toen ze in het kleine hotel was gearriveerd, had ze zich verschrikkelijk verdrietig gevoeld over wat Jack haar had aangedaan, en datzelfde verdriet voelde ze nu ten aanzien van Paul Flanner.

Vanavond zou ze huilen, maar, zoals ze zich elke dag sinds haar vertrek uit Rodanthe steevast voornam, ze zou niet bij de pakken neer gaan zitten. Ze was een taaie, zoals haar vader haar zo vaak had gezegd, en hoewel er van die wetenschap een zekere voldoening uitging, maakte het er de pijn of de spijt er niet minder op.

Tegenwoordig probeerde ze zich te concentreren op die dingen die haar plezier deden. Ze vond het heerlijk om naar haar kleinkinderen te kijken terwijl ze de wereld ontdekten, ze vond het fijn om met haar vriendinnen te praten en te horen hoe het met hen ging, en de laatste tijd genoot ze zelfs van haar werk in de bibliotheek.

Het was geen zwaar werk – tegenwoordig werkte ze op de speciale naslagafdeling waar geen boeken werden uitgeleend – en omdat het soms wel eens uren kon duren voor haar assistentie verlangd werd, had ze ruimschoots de kans om de mensen te observeren die door de glazen deuren het gebouw binnenkwamen. Daar had ze de laatste jaren veel meer plezier in gekregen. Ze keek naar de mensen die in de stille zalen over de boeken zaten gebogen en vroeg zich onwillekeurig af hoe hun levens eruitzagen. Ze probeerde voor zichzelf uit te maken of iemand getrouwd was, wat hij of zij deed voor de kost, of wat voor soort boeken ze het liefste lazen, en soms kreeg ze de kans om erachter te komen of ze het goed had geraden. Dat gebeurde wanneer mensen naar haar toe kwamen en haar vroegen een bepaald boek voor hen te vinden, en dan begon ze een praatje met hen. In de meeste gevallen bleek dat ze er niet ver naast had gezeten met haar vermoedens, en dan vroeg ze zich af hoe ze het had geweten.

Van tijd tot tijd kwam er iemand binnen die persoonlijk in haar geïnteresseerd was. Jaren geleden waren die mannen meestal ouder geweest dan zij; nu waren ze doorgaans jonger, maar de aanpak was hetzelfde. Wie het ook was, hij begon meer en meer tijd op haar afdeling door te brengen. Hij begon haar van alles te vragen – eerst over boeken, daarna over algemene onderwerpen en ten slotte over haarzelf. Ze vond het niet erg om hun antwoord te geven, en hoewel ze hen nooit aanmoedigde, gebeurde het vroeg of laat bijna altijd dat ze haar mee uit vroegen. Wanneer dat gebeurde voelde ze zich altijd een beetje gevleid, maar in haar hart wist ze dat, hoe geweldig deze nieuwe aanbidder ook mocht zijn, en hoezeer ze ook van zijn gezelschap zou genieten, ze nooit in staat zou zijn om haar hart voor hem te openen zoals ze ooit eens had gedaan.

Haar tijd in Rodanthe had haar ook op andere manieren veranderd. Het samenzijn met Paul had de wonden van verlies en verraad over de scheiding geheeld, en er was iets anders, iets sterkers en mooiers voor in de plaats gekomen. Het besef dat ze het waard was om bemind te worden had het voor haar gemakkelijker gemaakt om met opgeheven hoofd te lopen, en naarmate haar zelfvertrouwen groeide, was ze beter in staat om met Jack te spreken zonder overal iets achter te zoeken of aan alles een dubbelzinnige betekenis mee te geven, en zonder verwijten en spijt waar ze voorheen altijd blijk van had gegeven. Het was geleidelijk aan gekomen; hij belde om met de kinderen te praten, en dan spraken ze eerst een poosje met elkaar alvorens ze de kinderen riep. Later begon ze te vragen hoe het met Linda was, of met zijn werk, of ze vertelde hem over wat ze de laatste tijd had gedaan. Beetje bij beetje begon Jack in te zien dat ze veranderd was. Hun gesprekken werden met het verstrijken van de maanden en jaren steeds vriendschappelijker, en soms belden ze elkaar zelfs zomaar op, om even bij te kletsen. Toen zijn huwelijk met Linda in het slop begon te raken, hingen ze uren met elkaar aan de telefoon, soms tot laat op de avond. Toen Jack en Linda uit elkaar waren, had Adrienne hem over zijn verdriet heen geholpen, en ze had hem zelfs in de logeerkamer laten slapen wanneer hij de kinderen kwam bezoeken. De ironie wilde dat Linda hem voor een andere man in de steek had gelaten, en Adrienne kon zich nog goed herinneren hoe ze op een avond met Jack in de zitkamer had gezeten en hij een glas whisky in zijn hand had gehad. Het was na middernacht en hij had al uren en uren zitten vertellen over hoe ellendig dit allemaal voor hem was. Opeens leek het eindelijk tot hem door te dringen aan wie hij dit allemaal vertelde.

'Was het voor jou ook zo erg?' vroeg hij.

'Ja,' antwoordde Adrienne.

'Hoe lang heeft het geduurd voor je eroverheen was?'

'Drie jaar,' antwoordde ze. 'Maar ik heb geboft.'

Jack knikte. Hij perste zijn lippen op elkaar en keek in zijn glas.

'Het spijt me,' zei hij. 'Jou verlaten is het domste dat ik ooit in mijn leven heb gedaan.'

Adrienne glimlachte en gaf hem een klopje op zijn knie. 'Dat weet ik. Maar toch bedankt.'

Ongeveer een halfjaar daarna belde Jack op om haar mee uit eten te vragen. En zoals ze met alle anderen had gedaan, volstond ze met een beleefd bedankje.

Adrienne stond op en ging naar het buffet om de doos te pakken die ze eerder uit haar slaapkamer mee naar beneden had genomen, en ze ging er weer mee aan tafel zitten. Amanda sloeg haar gefascineerd gade. Adrienne glimlachte en pakte de hand van haar dochter.

Terwijl ze dat deed, zag Adrienne dat Amanda ergens in de loop van de afgelopen paar uur begrepen had dat ze haar moeder niet zo goed kende als ze altijd gedacht had. Het was, dacht Adrienne, een beetje alsof de rollen waren omgekeerd. In Amanda's ogen lag dezelfde blik als er in het verleden wel eens in Adriennes ogen had gelegen wanneer de kinderen tijdens de feestdagen samenkwamen en grapjes maakten over dingen die ze hadden gedaan toen ze jonger waren. Het was nog maar een paar jaar geleden dat ze erachter was gekomen dat Matt de gewoonte had gehad om laat op de avond stiekem het huis uit te sluipen om met zijn vrienden te gaan stappen, dat Amanda in de eerste klas van de middelbare school was begonnen te roken en er korte tijd later weer mee was opgehouden, en dat Dan degene was geweest die het brandje in de garage had gesticht waar ze een defect stopcontact de schuld van had gegeven. Ze had met hen meegelachen terwijl ze zich op hetzelfde moment verschrikkelijk naïef had gevoeld, en ze vroeg zich af of het Amanda op dit moment net zo verging.

De klok aan de muur tikte monotoon en regelmatig. De verwarming sprong aan en op hetzelfde moment slaakte Amanda een zucht.

'Wat een verhaal,' zei ze.

Ondertussen speelde Amanda met haar wijnglas en draaide ze het in het rond. Het licht weerkaatste op de wijn en liet de drank fonkelen.

'Weten Matt en Dan ervan? Ik bedoel, heb je het aan hen verteld?'

'Nee.'

'Waarom niet?'

'Ik geloof niet dat het nodig is dat ze het weten,' antwoordde Adrienne met een glimlach. 'En daarbij vraag ik me af of ze het zouden begrijpen. Om te beginnen zijn het mannen, en hebben ze altijd wat beschermends tegenover mij gehad. Ik zou niet willen dat ze denken dat Paul het alleen maar op een eenzame vrouw had voorzien. Dat heb je wel eens bij mannen – als ze iemand ontmoeten en verliefd worden, is het echt, en het maakt niet uit hoe snel het is gekomen. Maar als iemand valt voor een vrouw van wie ze toevallig houden, dan twijfelen ze onmiddellijk aan de goede bedoelingen van die man. Als ik heel eerlijk ben, denk ik niet dat ik het hun ooit zal vertellen.'

Amanda knikte en vroeg: 'En waarom vertel je het dan wel aan mij?'

'Omdat ik vond dat je het moest weten.'

Amanda begon afwezig met een lok van haar haren te spelen. Adrienne vroeg zich af of dat een genetische afwijking was, of dat ze die had overgenomen van het kijken naar haar moeder.

'Mam?'

'Ja?'

'Waarom heb je ons nooit over hem verteld? Ik bedoel, je hebt nooit iets gezegd.'

'Dat kon ik niet.'

'Waarom niet?'

Adrienne leunde naar achteren in haar stoel en haalde diep adem. 'Ik geloof dat ik in het begin bang was dat het niet echt was. Ik wist dat we van elkaar hielden, maar afstand kan vreemde dingen doen met mensen, en voor ik jullie erover vertelde, wilde ik er eerst zeker van kunnen zijn dat het iets blijvends was. En later, toen ik brieven van hem begon te krijgen en ik wist dat het inderdaad iets blijvends was... ik weet niet... het leek nog zo lang te duren voor jullie hem zouden kunnen ontmoeten, dat het vooralsnog zinloos leek...'

Ze aarzelde even en koos haar volgende woorden met zorg.

'Je moet ook begrijpen dat je nu niet dezelfde bent als toen. Je was zeventien, Dan was nog maar vijftien en ik wist niet of jullie al aan zo'n geschiedenis toe waren. Ik bedoel, hoe zou je het gevonden hebben als jullie net terug waren van een bezoek aan je vader en ik jullie verteld zou hebben dat ik verliefd was op iemand die ik een paar dagen tevoren had leren kennen?'

'Ik weet zeker dat we er geen moeite mee zouden hebben gehad.'

Daar was Adrienne nog niet zo zeker van, maar ze sprak Amanda niet tegen. In plaats daarvan haalde ze haar schouders op. 'Wie weet. Misschien is het wel waar wat je zegt. Misschien hadden jullie het wel kunnen accepteren, maar toen wilde ik het risico niet nemen. En als ik het opnieuw zou moeten doen, zou ik waarschijnlijk weer net zo reageren.'

Amanda ging verzitten. Na een poosje keek ze haar moeder aan. 'Weet je heel zeker dat hij van je hield?'

'Ja,' zei ze.

Amanda's ogen waren bijna blauwgroen in het zwakke licht. Ze glimlachte teder alsof ze iets wilde vragen, maar bang was dat ze haar moeder zou kwetsen.

Adrienne wist precies wat haar dochter wilde vragen. Het was, dacht ze, de enige logische vraag die over was.

Amanda boog zich naar haar toe en keek haar bezorgd aan. 'Waar is hij dan?'

In de afgelopen veertien jaar sinds Adrienne Paul Flanner voor de laatste keer had gezien, was ze vijf keer in Rodanthe geweest. De eerste keer was in juni van datzelfde jaar geweest, en hoewel het zand witter leek en de zee aan de horizon met de hemel versmolt, ging ze de overige keren in de winter toen de wereld grijs en koud was, omdat dat weerbeeld meer overeenkwam met haar herinneringen aan het verleden.

Op de ochtend van Pauls vertrek was Adrienne zo onrustig dat ze niet anders kon dan door het huis lopen. Alleen door in beweging te blijven leek ze haar gedachten op een afstand te kunnen houden. Laat in de middag, toen het donker begon te worden en de hemel rood en oranje kleurde, ging ze naar buiten en tuurde in de kleuren om te zien of ze Pauls vliegtuig erin kon ontdekken. De kans dat dat zou lukken was zo goed als nihil, maar toch bleef ze buiten en kreeg ze het steeds kouder. Tussen de wolken ontwaarde ze hier en daar vliegtuigsporen, maar haar logische verstand zei haar dat die afkomstig waren van vliegtuigen die op de marinebasis van Norfolk waren gestationeerd. Tegen de tijd dat ze naar binnen ging waren haar handen totaal gevoelloos, en ze hield ze onder de warme kraan om ze weer op temperatuur te krijgen. Hoewel ze wist dat hij weg was, dekte ze de tafel toch voor twee.

Aan de ene kant had ze gehoopt dat hij terug zou komen. Onder het eten verbeeldde ze zich dat de voordeur open zou gaan en hij binnen zou komen. Ze stelde zich voor dat hij zijn tassen zou laten vallen en zou zeggen dat hij niet weg kon voordat hij nog een nacht met haar zou hebben doorgebracht. Ze zouden de volgende dag, of de dag daarop samen vertrekken, zou hij zeggen, en ze zouden achter elkaar over de snelweg naar het noorden rijden, totdat zij bij haar afslag was gekomen.

Maar dat deed hij niet. De voordeur ging niet open en er was niemand die belde. Hoe graag Adrienne ook gewild had dat hij zou blijven, ze wist dat ze gelijk had gehad met aan te dringen op zijn vertrek. Een extra dag zou het afscheid er niet gemakkelijker op hebben gemaakt; en nog een nacht samen zou alleen maar betekend hebben dat ze nogmaals afscheid hadden moeten nemen, en dat was de eerste keer al moeilijk genoeg geweest. Ze kon zich niet voorstellen dat ze die woorden een tweede keer zou moeten zeggen, evenmin als ze zo'n dag als ze vandaag had gehad nog eens zou willen doormaken.

De volgende ochtend begon ze aan de schoonmaak van het hotel. Ze werkte snel en probeerde zo systematisch mogelijk te werk te gaan. Ze deed de afwas, droogde alles af en ruimde alles weg. Ze stofzuigde de kleden, veegde het zand uit de keuken en het halletje, stofte de meubels en de lampen in de zitkamer, en stortte zich vervolgens op Jeans kamer tot ze zeker wist dat alles weer net zo netjes was als toen ze was gekomen.

Toen droeg ze haar koffer naar boven en deed de deur van de blauwe kamer open.

Ze was sinds de vorige ochtend niet meer in de kamer geweest. Het middaglicht wierp regenboogjes op de muur. Hij had het bed rechtgetrokken voor hij naar beneden was gegaan, maar had kennelijk beseft dat echt opmaken niet nodig was. Er zaten bobbels onder de sprei waar de deken niet glad lag, en hier en daar hing het laken bijna tot op de vloer. In de badkamer hing een handdoek over de stang van het douchegordijn, en bij de wastafel lagen er nog twee in een slordige hoop op de grond.

Ze bleef roerloos staan en nam alles in zich op, waarna ze ten slotte de lucht uit haar longen liet ontsnappen en haar koffer neerzette. Op dat moment zag ze het briefje dat Paul haar had geschreven, en op het bureautje had gelegd. Ze pakte het en ging er langzaam mee op de rand van het bed zitten. In de stilte van de kamer waar ze elkaar hadden bemind, las ze wat hij de vorige ochtend voor haar op papier had gezet.

Toen Adrienne het uit had, liet ze het zakken en bleef

ze stil aan hem zitten denken zoals hij het geschreven moest hebben. Uiteindelijk vouwde ze het briefje zorgvuldig op en stopte het bij de schelp in haar koffer. Toen Jean een paar uur later thuiskwam, stond Adrienne weer op de veranda achter tegen de balustrade geleund naar de hemel te kijken.

Jean was even uitgelaten en vrolijk als altijd. Ze was blij om weer thuis te zijn en om Adrienne te zien, en ze vertelde aan een stuk door over het huwelijk en het oude hotel in Savannah waar ze gelogeerd had. Adrienne liet haar vertellen zonder haar in de rede te vallen, en na het eten zei ze tegen Jean dat ze een strandwandeling wilde maken. Gelukkig bedankte Jean toen ze vroeg of ze zin had om mee te gaan.

Toen ze terugkwam was Jean in haar kamer aan het uitpakken, en Adrienne maakte een kop thee voor zichzelf waarmee ze bij de open haard ging zitten. Even later hoorde ze Jean de keuken binnengaan.

'Waar ben je?' riep Jean.

'Hier,' antwoordde Adrienne.

Even later keek Jean om het hoekje van de zitkamer. 'Hoorde ik de ketel fluiten?'

'Ik heb net een kop thee gezet.'

'Sinds wanneer drink jij thee?'

Adrienne lachte kort, maar gaf geen antwoord.

Jean ging op de andere schommelstoel zitten. Buiten was de maan opgekomen, en het bleke, heldere licht gaf het zand de gloed van antieke potten en pannen.

'Ik vind je zo stil vanavond,' zei Jean.

'Neem me niet kwalijk.' Adrienne haalde haar schouders op. 'Ik ben een beetje moe. Ik denk dat ik weer naar huis wil.'

'O, dat kan ik me voorstellen. Ik was Savannah nog niet uit, of ik begon de kilometers te tellen. Gelukkig was er niet veel verkeer. Het laagseizoen, je weet wel.'

Adrienne knikte.

Jean leunde naar achteren in haar stoel. 'Is alles goed gegaan met Paul Flanner? Ik hoop dat zijn verblijf niet te al veel onder het slechte weer heeft geleden.'

Adrienne kreeg een brok in haar keel bij het horen van zijn naam, maar ze deed haar best om uiterlijk niets van haar emoties te laten blijken. 'Voorzover ik weet vond hij het slechte weer helemaal geen probleem,' zei ze.

'Vertel eens wat over hem. Naar zijn stem te oordelen kwam hij nogal stug en stijf over.'

'O, nee, helemaal niet. Hij was... erg aardig.'

'Was het niet vreemd om alleen met hem in huis te zijn?'

'Nee. Niet toen ik eenmaal aan hem gewend was.'

Jean wachtte of Adrienne daar nog wat aan toe zou voegen, maar dat deed ze niet.

'Nou... mooi,' vervolgde Jean. 'En je had geen problemen met het aanbrengen van de voorzetluiken?'

'Nee.'

'Gelukkig. Ik ben je echt dankbaar dat je dat voor me hebt gedaan. Ik weet dat je op een rustig weekend had gehoopt, maar daar is uiteindelijk weinig van terechtgekomen, hè?'

'Hm, nee, echt rustig was het niet.'

Misschien kwam het door de manier waarop ze dat had gezegd, maar Jean nam haar nieuwsgierig op. Adrienne, die ineens behoefte had om alleen te zijn, dronk haar thee op.

'Het spijt me, Jean,' zei ze, en ze probeerde zo natuurlijk mogelijk te klinken, 'maar ik geloof dat ik naar bed ga. Ik ben moe, en morgen heb ik een lange rit voor de boeg. Ik ben blij dat je het leuk hebt gehad op de bruiloft.'

Jean keek haar verbaasd aan. Ze was het niet van haar vriendin gewend, dat deze op zo'n abrupte manier een eind aan de avond maakte.

'O... nou, dank je,' zei ze. 'Welterusten.'

'Welterusten.'

Adrienne voelde hoe Jean haar onderzoekend nakeek. Boven ging ze de blauwe kamer binnen, kleedde zich uit en kroop naakt en eenzaam tussen de lakens.

Het kussen en de lakens roken naar Paul, en haar hand ging afwezig strelend over haar borsten terwijl ze zichzelf overgaf aan de geur, en zich tegen de slaap bleef verzetten tot ze er uiteindelijk door overmand werd. Toen ze de volgende ochtend opstond, zette ze het koffiezetapparaat aan en ging naar buiten om nog een strandwandeling te maken.

In het halve uur buiten kwam ze twee andere stellen tegen. De koude lucht was door een warmer front verdreven, en ze wist dat er in de loop van de dag meerdere mensen naar het strand zouden komen.

Paul zou intussen bij het ziekenhuis zijn, en ze vroeg zich af hoe het was. Ze had een bepaald beeld in gedachten, mogelijk iets dat ze op de televisie had gezien – een reeks van haastig in elkaar getimmerde gebouwtjes te midden van een dicht oerwoud, het pad ernaartoe was modderig en vol sporen, en er klonken exotische vogelgeluiden op de achtergrond – maar ze betwijfelde of dat klopte. Ze vroeg zich af of hij al met Mark had gesproken en hoe hun ontmoeting was verlopen, en of Paul, net als zij, met zijn gedachten nog voortdurend bij het weekend was.

Toen ze terugkwam was er niemand in de keuken. Naast het koffiezetapparaat stond de open suikerpot en een lege mok. Boven hoorde ze het zachte geluid van neuriën.

Adrienne ging het geluid achterna, de trap op. Toen ze boven was gekomen, zag ze de deur van de blauwe kamer op een kiertje openstaan. Adrienne liep erheen, duwde de deur verder open en zag Jean voorovergebogen staan terwijl ze de laatste punt van een schoon laken instopte. De oude lakens, de lakens waar zij en Paul samen in hadden gelegen, lagen in een hoop op de vloer.

Adrienne keek naar de lakens en realiseerde zich dat het bespottelijk was om zo van streek te zijn, maar besefte op hetzelfde moment dat het minstens nog een heel jaar zou duren voor ze Paul Flanner opnieuw zou kunnen ruiken. Ze haalde haperend adem en probeerde een kreet te onderdrukken.

Jean hoorde het gesmoorde geluid, draaide zich verbaasd om en keek haar vriendin met grote ogen aan.

'Adrienne?' vroeg ze. 'Is er iets?'

Maar Adrienne kon geen antwoord geven. Het enige wat ze kon doen was haar handen voor haar gezicht slaan in de wetenschap dat ze, vanaf dit moment, de dagen op de kalender zou afstrepen tot de dag waarop Paul terug zou zijn.

—•—

'Paul,' zei Adrienne, in antwoord op de vraag van haar dochter, 'is in Ecuador.' Ze verbaasde zich over de onverwacht emotieloze klank van haar stem.

'In Ecuador,' herhaalde Amanda. Ze trommelde met haar vingers op het tafelblad en keek haar moeder aan. 'Waarom is hij niet teruggekomen?'

'Dat kon hij niet.'

'Waarom niet?'

In plaats van antwoord te geven, haalde Adrienne het deksel van de kartonnen doos. Ze haalde er een papier uit dat er, dacht Amanda, uitzag alsof het uit een schoolschrift was gescheurd. Het was dubbelgevouwen en in de loop der jaren vergeeld. Amanda zag dat iemand de naam van haar moeder erop had geschreven.

'Voor ik je dat vertel,' zei Adrienne, 'wil ik eerst je andere vraag beantwoorden.'

'Welke andere vraag?'

Adrienne glimlachte. 'Je vroeg of ik zeker wist dat Paul van me hield.' Ze schoof het papier over de tafel heen naar haar dochter. 'Dit is het briefje dat hij op de dag van zijn vertrek aan me heeft geschreven.'

213

Amanda aarzelde alvorens het op te pakken, maar toen vouwde ze het langzaam open. Met haar moeder tegenover zich, begon ze te lezen.

Lieve Adrienne,
Je lag niet naast me toen ik vanochtend wakker werd, en hoewel ik weet waarom je bent opgestaan, wilde ik dat je dat niet had gedaan. Ik weet dat het egoïstisch van me is, maar waarschijnlijk is dat een van de karaktertrekken die ik nooit af zal leren.

Als je dit leest ben ik vertrokken. Zodra ik klaar ben met schrijven ga ik naar beneden en zal ik je voorstellen om langer bij je te blijven, maar ik weet nu al wat je daarop zult zeggen.

Dit is geen afscheid, en ik wil niet dat je ook maar één moment denkt dat dat de aanleiding voor deze brief zou zijn. Ik heb besloten het komende jaar te gebruiken om je nog beter te leren kennen dan ik nu al doe. Ik heb vaak gehoord van mensen die al schrijvend verliefd op elkaar zijn geworden, en hoewel wij dat al zijn, betekent dat niet dat onze liefde zich niet verder zou kunnen verdiepen, of wel? Ik ben ervan overtuigd dat dat kan, en om eerlijk te zijn, reken ik erop dat ik dankzij die overtuiging in staat zal zijn het komende jaar zonder jou door te komen.

Als ik mijn ogen sluit kan ik je op onze eerste avond samen over het strand zien lopen. Met het licht van de flitsende bliksem op je gezicht was je

*ronduit beeldschoon, en ik denk dat het mede daar-
door kwam dat ik in staat was mijn hart voor je te
openen zoals ik dat nog nooit eerder voor iemand
heb gedaan. Maar het was niet alleen je schoonheid
die me diep heeft getroffen. Het was alles aan je – je
moed en je hartstocht, de nuchterheid waarmee je de
wereld beziet. Ik denk dat ik die eigenschappen van
je al aanvoelde toen we onze eerste kop koffie samen
dronken, en hoe beter ik je leerde kennen, des te
meer realiseerde ik me hoezeer ik die eigenschappen
in mijn eigen leven had ontbeerd. Je bent een zeld-
zame vondst, Adrienne, en ik prijs mijzelf gelukkig
dat ik de kans heb gekregen je te leren kennen.*

*Ik hoop dat het goed met je gaat. Onder het
schrijven van deze brief kan ik dat van mijzelf niet
zeggen. Het afscheid straks van jou is het moeilijkste wat ik ooit in mijn leven heb gedaan, en ik
zweer je dat ik dat, wanneer ik terug ben, nooit
weer zal doen. Ik hou van je om alles wat we al
samen hebben gedeeld, en ik hou van je om alles
wat ons nog te wachten staat. Je bent het mooiste
geschenk van mijn leven. Ik mis je nu al, maar ik
weet zeker dat je in mijn hart altijd bij me zult zijn.
In de paar dagen die we samen hebben gedeeld, ben
je mijn droom geworden.*

Paul

Het jaar na Pauls vertrek leek op geen enkel ander jaar in Adriennes leven. Oppervlakkig bezien leek er niets veranderd. Zoals altijd vervulde ze een actieve rol in het leven van haar kinderen; ze ging eenmaal per dag bij haar vader langs en ze werkte op de bibliotheek. Maar alles had een nieuw, enthousiast tintje gekregen dat het gevolg was van het geheim dat ze in haar hart met zich meedroeg, en de mensen om haar heen merkten dat er iets aan haar houding veranderd was. Ze glimlachte vaker, zeiden ze, en het viel zelfs haar kinderen op dat ze soms na het avondeten ging wandelen en zo af en toe urenlang in bad lag zonder zich aan de herrie om haar heen te storen.

Op dat soort momenten dacht ze altijd aan Paul, maar de herinnering aan hem was het levendigst wanneer ze de postbode de straat in zag rijden en hem overal waar iets te bezorgen was, zag stoppen.

De post kwam meestal tussen tien en elf uur 's ochtends, en dan stond Adrienne bij het raam te kijken of hij ook bij haar huis stopte. Zodra hij was doorgereden, ging ze naar buiten en keek de post door op zoek naar de lichtbruine luchtpostenveloppen die hij gebruikte, met postzegels waarop afbeeldingen stonden van een wereld die haar vreemd was, en met zijn naam in de linkerbovenhoek gekrabbeld

De eerste brief die ze van hem had ontvangen, had ze achter op de veranda gelezen. Zodra ze hem uit had, was ze weer van voren af aan begonnen, en had ze langzamer gelezen en de woorden op zich laten inwerken. Met elke daaropvolgende brief deed ze het net zo, en toen er steeds meer brieven kwamen, begon ze te beseffen dat het waar was wat Paul in zijn briefje had geschreven. Hoewel het niet zo bevredigend was als om hem te zien of om zijn armen om zich heen te voelen, leken zijn hartstochtelijke woorden de afstand tussen hen te verkleinen.

Ze vond het fijn om zich voor te stellen hoe hij er onder het schrijven van de brieven had uitgezien. In gedachten zag ze hem achter een oud, gebutst bureau zitten. Het schijnsel van de enkele lamp viel op zijn vermoeide gezicht. Ze vroeg zich af of hij snel schreef, of de woorden in een ononderbroken stroom uit zijn pen vloeiden, of dat hij van tijd tot tijd zou stoppen en voor zich uit zou turen om zijn gedachten te ordenen. Soms stelde ze zich hem, afhankelijk van wat hij had geschreven, op een bepaalde manier voor, maar bij een volgende brief kon ze hem weer totaal anders zien. Dan sloot ze haar ogen en probeerde ze het beeld vast te houden terwijl ze zich probeerde in te leven in de gevoelens die hij op dat moment had gehad.

Ze schreef hem ook, beantwoordde de vragen die hij had gesteld en vertelde hem over wat er gaande was in haar leven. Op die dagen kon ze hem bijna naast zich zien; als de wind door haar haren speelde, was het net alsof hij zijn wijsvinger teder strelend over haar huid liet gaan; bij het luisteren naar het zachte tikken van de klok was het alsof ze naar zijn hart luisterde terwijl ze met haar hoofd op zijn borst lag. Maar wanneer ze haar pen neerlegde, keerden haar gedachten onveranderlijk terug naar hun laatste momenten samen, toen ze elkaar op het grindpad omhelsd hadden. Dan dacht ze terug aan de zachte streling van zijn lippen, en het besef dat ze het eerstkomende jaar niet samen zouden kunnen zijn, maar dat ze daarna de rest van hun leven met elkaar zouden delen.

Om de zoveel tijd belde Paul, wanneer hij in de gelegenheid was om naar de stad te gaan, ook op. Bij het horen van de tedere klank van zijn stem kreeg ze altijd weer een brok in haar keel. Dat kreeg ze ook wanneer hij lachte, en bij het horen van het verlangen in zijn stem wanneer hij zei dat hij haar zo miste. Hij belde overdag, wanneer de kinderen op school waren, en telkens wanneer de telefoon ging aarzelde ze altijd even alvorens op te nemen, en hoopte ze dat het Paul zou zijn. Hun gesprekken duurden nooit lang, zelden langer dan twintig minuten, maar in combinatie met de brieven was het voldoende om haar de tijd te helpen overbruggen.

Op de bibliotheek begon ze met het kopiëren van pagina's uit boeken over Ecuador – alles variërend van geografie tot geschiedenis – het maakte niet uit wat. Toen een van de reisbladen een artikel over de cultuur in Ecuador had, kocht ze het, en besteedde ze uren aan het bestuderen van de foto's en het uit haar hoofd leren van het artikel, omdat ze zo veel mogelijk wilde weten over de mensen met wie hij werkte. Soms vroeg ze zich wel eens af of de vrouwen daar even verlangend naar hem keken als zij had gedaan.

Ook scande ze de tot microfiches gemaakte pagina's van kranten en medische tijdschriften, en zocht ze alles wat ze over Pauls leven in Raleigh kon vinden. Ze vertelde hem nooit dat ze dit deed – hij zei vaak in zijn brieven dat de Paul van vroeger een mens was geweest die hij nooit meer wilde zijn – maar ze was nieuwsgierig. Ze vond een artikel dat in *The Wall Street Journal* had gestaan, met een schets van hem boven aan het artikel. Er stond dat hij achtendertig was, en terwijl ze het gezicht bestudeerde, kreeg ze voor het eerst een idee van hoe hij er had uitgezien toen hij jonger was. Hoewel ze hem op de tekening meteen herkende, waren er een aantal verschillen die haar opvielen – het donkerdere haar met de zijscheiding, het gezicht zonder rimpels, en de te serieuze, bijna te harde oogopslag – die ze niet bij hem kon plaatsen. Ze herinnerde zich dat ze zich had afgevraagd hoe hij nu over het artikel zou denken, of dat het hem volkomen onverschillig zou laten.

Ook vond ze foto's van hem in oudere nummers van de *Raleigh News and Observer*, die waren gemaakt tijdens een ontmoeting met de gouverneur, en tijdens de opening van de nieuwe vleugel van het Duke Medical Center. Het viel haar op dat hij op geen van de foto's glimlachte. Het was een Paul, dacht ze, die ze zich in het geheel niet kon voorstellen.

In maart liet hij opeens, zonder speciale aanleiding, een boeket rozen bij haar bezorgen, en vanaf dat moment deed hij dat elke maand. Ze zette de boeketten op haar slaapkamer, ervan uitgaande dat het de kinderen uiteindelijk zou moeten opvallen en dat ze er iets van zouden zeggen; maar ze gingen zo op in hun eigen wereldje dat dat nooit gebeurde.

219

In juni keerde ze terug naar Rodanthe voor een lang weekend met Jean. Bij haar aankomst maakte Jean een zenuwachtige indruk, net alsof ze zich nog steeds afvroeg waardoor Adrienne de laatste keer zo van streek was geweest, maar na een uur ontspannen conversatie was Jean weer helemaal de oude. Gedurende dat weekend maakte Adrienne meerdere strandwandelingen en probeerde ze nog een schelp te vinden, maar alle schelpen die ze vond waren kapotgeslagen in de golven.

Toen ze thuiskwam lag er een brief van Paul op haar te wachten, en er zat een foto in die Mark van hem had genomen. Paul stond voor het ziekenhuis, en hoewel hij magerder was dan hij zes maanden tevoren was geweest, zag hij er gezond uit. Ze zette de foto tegen het peper-en-zoutstel en schreef hem terug. In zijn brief had hij haar om een foto van haar gevraagd, en ze zocht in haar albums tot ze er eentje had gevonden die ze hem wilde geven.

De zomer was warm en benauwd; het grootste gedeelte van juli bracht ze binnenshuis door met de airconditioning aan; in augustus ging Matt naar de universiteit, en Amanda en Dan keerden terug naar de middelbare school. Toen de blaadjes aan de bomen begonnen te verkleuren, begon ze na te denken over de dingen die zij en Paul zouden kunnen doen wanneer hij terugkwam. Ze stelde zich voor dat ze naar Biltmore Estate in Asheville zouden gaan om naar de kerstversieringen te kijken; ze vroeg zich af wat de kinderen van hem zouden vinden wanneer hij op kerstavond bij hen kwam eten, of wat Jean zou doen wanneer hij in de eerste week van het nieuwe jaar voor hen beiden een kamer in het hotelletje zou reserveren. Ze twijfelde er niet aan, dacht Adrienne met een glimlachje, dat Jean daar een bedenkelijk gezicht bij zou trekken. Ze kende haar goed genoeg om te weten dat ze er aanvankelijk niets van zou zeggen en alleen maar met een voldaan gezicht zou rondlopen als om duidelijk te maken dat ze het aldoor al had geweten.

En nu zat Adrienne met haar dochter aan de keukentafel en dacht ze nog eens over al die plannen na. Er waren in het verleden momenten geweest, herinnerde ze zich, waarop ze bijna had geloofd dat de plannen echt waren uitgevoerd. Ze had de gewoonte gehad om zich de verschillende scenario's tot in het allerkleinste detail voor te stellen, maar uiteindelijk was ze daar bewust mee opgehouden. Het plezier van dat soort dromerijen werd altijd gevolgd door de pijn van een emotionele leegte, en ze wist dat ze haar tijd beter kon besteden aan de mensen om haar heen die nog steeds deel uitmaakten van haar leven. Ze wilde het verdriet dat door die dromen werd veroorzaakt nooit meer voelen. Maar soms, ondanks haar beste voornemens, gebeurde het toch.

———

'Wauw,' kwam het zacht over Amanda's lippen, terwijl ze het briefje liet zakken en het teruggaf aan haar moeder.

Adrienne vouwde het weer dubbel en legde het opzij, en haalde vervolgens de foto die Mark van hem had genomen uit de doos.

'Dit is Paul,' zei ze.

Amanda nam de foto van haar aan. Ondanks zijn leeftijd was hij knapper dan ze verwacht had. Ze keek in de ogen die haar moeder betoverd hadden. En toen glimlachte ze.

'Ik kan zien waarom je voor hem bent gevallen. Heb je er nog meer?'

'Nee,' zei ze, 'dat is alles.'

Amanda knikte en bestudeerde de foto opnieuw.

'Je hebt hem goed beschreven.' Ze aarzelde. 'Heeft hij je ooit een foto van Mark gestuurd?'

'Nee, maar ze lijken op elkaar,' zei Adrienne.

'Heb je hem ontmoet?'

'Ja,' antwoordde ze.

'Waar?'

'Hier.'

Amanda keek haar vragend aan. 'Hier thuis?'

'Hij zat waar jij nu zit.'

'En waar waren wij?'

'Op school.'

Amanda schudde haar hoofd en probeerde deze nieuwe informatie te verwerken. 'Je verhaal begint een beetje onduidelijk te worden,' zei ze.

Adrienne wendde haar blik af, en toen stond ze langzaam op van tafel. Toen ze de keuken uit liep, fluisterde ze: 'Ja, dat vond ik indertijd ook.'

In oktober was de toestand van Adriennes vader lichtelijk
verbeterd, maar nog niet zodanig dat hij het verpleeghuis
zou kunnen verlaten. Zoals altijd had Adrienne hem gedurende het jaar elke dag bezocht. Ze hield hem gezelschap en probeerde zijn bestaan zo comfortabel mogelijk
te maken.

Door heel zuinig te leven had ze voldoende kunnen spa-
ren om hem tot april in het verpleeghuis te laten blijven,
maar hoe het daarna verder moest, dat wist ze niet. Altijd
kwamen haar gedachten weer uit bij hetzelfde probleem,
hoewel ze haar best deed om haar vader niets van haar
zorgen te laten merken.

Op de meeste dagen waarop ze zijn kamer binnenkwam,
stond de televisie keihard aan – net alsof de verpleegster
dacht dat flink veel lawaai de wazigheid in zijn hoofd zou
verdrijven. Het eerste wat Adrienne deed, was het toestel
uitzetten. Afgezien van de verpleegsters was zij de enige
die haar vader regelmatig kwam opzoeken. Hoewel ze begreep dat de kinderen het moeilijk vonden om te komen,
zou ze het op prijs hebben gesteld als ze dat wat vaker
deden. Niet alleen voor haar vader, die naar hen leek te
verlangen, maar ook voor hun eigen bestwil. Ze had het
altijd belangrijk gevonden dat familieleden elkaar zowel in
goede als in slechte tijden gezelschap hielden, al was het
maar om de lessen die ervan geleerd konden worden.

Haar vader kon niet meer spreken, maar ze wist dat hij
het begreep wanneer er tegen hem werd gesproken.
Doordat zijn rechter gezichtshelft verlamd was, had hij
een scheve glimlach gekregen die ze aandoenlijk vond.

Het viel niet mee om achter zijn huidige uiterlijk de man te ontdekken die hij ooit was geweest, en ze wist dat dit mogelijk te veel gevraagd was van haar kinderen. Hoewel ze haar soms verbaasd deden staan met opmerkingen waaruit bleek dat ze het wel degelijk konden, voelden ze zich toch slecht op hun gemak wanneer ze hen dwong haar op haar bezoeken te vergezellen. Het was alsof ze naar hun grootvader keken en een toekomst zagen die ze op de een of andere manier niet onder ogen durfden te zien, en ze bang waren dat het hen ook wel eens zo zou kunnen vergaan.

Ze schudde altijd eerst zijn kussens op, waarna ze naast het bed ging zitten en zijn hand in de hare nam. Meestal vertelde ze hem over dingen die haar waren overkomen of die ze had meegemaakt, over de kinderen, hoe het met ze ging en hoe ze op school presteerden. Dan keek hij haar altijd strak aan, en probeerde hij haar met zijn ogen duidelijk te maken wat hem op een andere manier niet meer mogelijk was. Wanneer ze zo naast hem zat, moest ze altijd weer terugdenken aan haar jeugd – de geur van Aqua Velva op zijn gezicht, het uitmesten van de paardenstal, de stoppels op zijn wang wanneer hij haar een zoen gaf en welterusten wenste, de positieve dingen die hij van kleins af aan altijd tegen haar had gezegd.

Op de dag voor Halloween ging ze bij hem op bezoek met een duidelijk plan. Het was tijd dat hij het wist.

'Ik moet je iets vertellen,' begon ze. En vervolgens vertelde ze hem, zo simpel als ze maar kon, over Paul en over hoeveel hij voor haar betekende.

Toen ze was uitgesproken had ze zich afgevraagd wat hij van haar verhaal had gevonden. Zijn haar was wit en dun, en zijn wenkbrauwen deden haar denken aan wattenplukken. Toen glimlachte hij zijn scheve grijns, en hoewel hij geen geluid maakte bewoog hij zijn lippen en wist ze wat hij probeerde te zeggen. Ze kreeg een brok in haar keel en boog zich over het bed heen om haar hoofd op zijn borst te leggen. Hij bracht zijn goede hand naar haar rug en wreef haar met trage, luchtige bewegingen. Onder zich voelde ze zijn broze ribben, en het kalme slaan van zijn hart.

'O, pappie,' fluisterde ze, 'ik ben ook trots op jou.'

In de zitkamer ging Adrienne naar het raam en trok ze de gordijnen open. Er was niemand op straat en rond de straatlantaarns hing een aura van licht. Ergens in de verte blafte een hond tegen een echte of vermeende indringer.

Amanda was nog steeds in de keuken, maar Adrienne wist dat ze haar weldra naar de kamer zou volgen. Het was voor hen beiden een lange avond geweest, en Adrienne legde haar wijsvinger op het glas.

Wat hadden zij en Paul voor elkaar betekend? Zelfs nu was ze daar nog niet zeker van. Er was geen gemakkelijke definitie. Hij was niet haar man geweest en evenmin haar verloofde; 'vriend' klonk kinderlijk en 'minnaar' dekte maar een klein deel van de lading van wat ze met elkaar hadden gedeeld. Hij was, dacht ze, de enige mens in haar leven die elke definitie te boven ging, en ze vroeg zich af hoeveel mensen er waren die hetzelfde konden zeggen van iemand in hun leven.

Boven haar hoofd werd de van een ring voorziene maan omgeven door indigo wolken die door de wind naar het oosten werden geblazen. Morgen zou het regenen aan de kust, en Adrienne wist dat ze er verstandig aan had gedaan Amanda de andere brieven niet te laten lezen.

Wat zou Amanda ervan te weten zijn gekomen? De details van Pauls leven in het hospitaal en hoe hij zijn dagen doorbracht, misschien? Of hoe zijn relatie met Mark langzaam aan was verbeterd? Al die dingen had Paul uitvoerig in zijn brieven beschreven, evenals zijn gedachten, zijn hoop en zijn angst, maar dat alles was niet relevant voor wat ze Amanda duidelijk hoopte te maken. De dingen die ze had uitgezocht waren voldoende.

Maar zodra Amanda naar huis was, wist ze, zou ze alle brieven opnieuw doorlezen. Al was het alleen maar om wat ze vanavond had gedaan. In het gele licht van de lamp op haar nachtkastje zou ze haar vinger over de woorden laten gaan, en van elk ervan genieten, in de wetenschap dat er niets was van alles wat ze bezat, dat zoveel voor haar betekende.

Amanda was nu bij haar, maar verder was Adrienne alleen. Ze zou altijd alleen zijn. Dat wist ze toen ze eerder in de keuken haar verhaal had verteld, en ze wist het nu, nu ze voor het raam stond. Soms vroeg ze zich wel eens af wie ze geweest zou zijn als Paul niet in haar leven was gekomen. Misschien dat ze hertrouwd zou zijn, en hoewel ze vermoedde dat ze een goede echtgenote zou zijn geweest, vroeg ze zich af of ze wel een goede echtgenoot gekozen zou hebben.

Het zou niet gemakkelijk zijn geweest. Sommige van haar vriendinnen die gescheiden waren of hun man hadden verloren, waren opnieuw getrouwd. De meeste van die mannen met wie ze getrouwd waren leken wel aardig, maar ze hadden werkelijk niets van Paul. Ze was ervan overtuigd dat romantiek en hartstocht op elke leeftijd mogelijk was, maar ze had genoeg van haar vriendinnen gehoord om te weten dat veel relaties meer problemen gaven dan ze waard waren. Adrienne wilde geen genoegen nemen met een man zoals die van haar vriendinnen, niet zolang ze brieven had die haar eraan herinnerden wat ze had kunnen hebben. Zou een nieuwe echtgenoot, bijvoorbeeld, ooit de woorden fluisteren die Paul in zijn derde brief had geschreven, woorden die ze, op de eerste dag waarop ze ze gelezen had, uit haar hoofd had geleerd?

Ik droom van je wanneer ik slaap, en wanneer ik wakker ben, verlang ik ernaar je in mijn armen te houden. Als deze tijd van scheiding ergens goed voor is geweest, dan is het wel dat ik er nu nóg zekerder van ben dat ik mijn nachten aan jouw zijde, en mijn dagen naast jouw hart wil doorbrengen.

Of deze woorden, uit de brief erna?

Wanneer ik je schrijf voel ik je adem; wanneer je mijn woorden leest verbeeld ik mij dat je de mijne kunt voelen. Vergaat het jou net zo? Deze brieven zijn een deel van ons geworden, een deel van onze geschiedenis, het bewijs door de eeuwen heen dat we deze periode hebben doorstaan. Ik ben je dankbaar dat je me hebt geholpen dit jaar te overleven, maar meer nog dan dat, wil ik je vast bij voorbaat bedanken voor alle jaren die nog komen.

Of deze brief, die was geschreven nadat hij en Mark op het einde van de zomer ruzie hadden gehad, iets wat hem duidelijk verdrietig had gemaakt.

Er is tegenwoordig zoveel waarnaar ik verlang, maar vooral dat jij hier kon zijn. Het is vreemd, maar voor ik je had ontmoet geloof ik niet dat ik ooit gehuild heb. Nu komen de tranen zo gemakkelijk... maar dankzij jou lijkt mijn verdriet op de een of andere manier de moeite waard, want als geen ander kun je de dingen zodanig uitleggen dat de pijn er minder op wordt. Je bent een schat, een hemels geschenk, en zodra we weer samen zijn, zal ik je net zo lang omhelzen tot mijn armen slap zijn geworden en ik je los moet laten. Soms zijn mijn gedachten aan jou het enige wat me op de been houdt.

Terwijl Adrienne zo naar het verre gezicht van de maan stond te kijken, wist ze het antwoord. Nee, dacht ze, zo'n man als Paul zou ze nooit meer vinden, en terwijl ze haar voorhoofd tegen het koele glas legde, voelde ze dat Amanda achter haar was komen staan. Adrienne zuchtte in de wetenschap dat het tijd was om dit af te ronden.

'Hij zou voor Kerstmis komen,' zei Adrienne zo zacht, dat Amanda haar best moest doen om haar te verstaan. 'Alles was geregeld. Ik had een hotelkamer gereserveerd zodat we op zijn eerste avond thuis samen konden zijn. Ik had zelfs een fles pinot grigio gekocht.' Ze zweeg. 'In de doos op tafel zit een brief van Mark waarin alles wordt uitgelegd.'

'Wat is er gebeurd?'

In het donker draaide Adrienne zich eindelijk om. Haar gezicht werd half overschaduwd en Amanda huiverde bij het zien van de uitdrukking op haar gelaat.

Het duurde even voor Adrienne antwoord gaf, en de woorden leken in het donker te blijven hangen.

'Heb je dat nog niet begrepen?' vroeg ze fluisterend.

Zeventien

Amanda zag dat de brief was geschreven op hetzelfde schriftpapier als Paul voor zijn eerste brief had gebruikt. Toen ze merkte dat haar handen een beetje beefden, legde ze ze vlak op tafel.

Vervolgens haalde ze diep adem, en liet ze haar blik zakken.

Beste Adrienne,
Terwijl ik hier zit realiseer ik me dat ik niet goed weet hoe ik zo'n brief als deze moet beginnen. Uit-eindelijk hebben we elkaar nog nooit ontmoet, en hoewel mijn vader me over je heeft verteld, is dat toch niet hetzelfde. Ik zou dit ook liever persoonlijk hebben gedaan, maar door mijn verwondingen kan ik nog niet weg. En zo zit ik hier dan, te zoeken

*naar de juiste woorden terwijl ik me afvraag of het-
geen ik schrijf uiteindelijk zelfs wel zinvol zal zijn.*

*Het spijt me dat ik niet heb gebeld, maar ik reali-
seerde me dat het niet gemakkelijker zou zijn om
dat wat ik je te vertellen heb, te moeten horen. Ik
ben zelf nog bezig om het allemaal te verwerken, en
dat is deels de reden waarom ik besloten heb je te
schrijven.*

*Ik weet dat mijn vader je over mij heeft verteld,
maar het lijkt me goed om je onze geschiedenis vanuit mijn optiek te vertellen. Ik hoop dat het je een
goed beeld zal geven van de man die van je hield.*

*Je moet begrijpen dat ik tijdens mijn jeugd geen
vader heb gehad. Goed, hij woonde bij ons in huis,
en hij verdiende de kost voor mijn moeder en mij,
maar hij was er nooit, tenzij om mij een uitbrander
te geven voor de slechte cijfers op mijn rapport. Ik
kan me herinneren dat we, toen ik jong was, op de
lagere school elk voorjaar een demonstratiedag
hadden, en dat mijn vader daar in alle acht jaar niet
één keer bij aanwezig is geweest. Hij is niet één keer
met me naar een honkbalwedstrijd gegaan, heeft
niet één keer in de tuin tikkertje met me gespeeld,
en hij is niet één keer met me gaan fietsen. Hij zei
dat hij je die dingen had verteld, maar je moet van
me aannemen dat het erger was dan hij geweten
kan hebben. Toen ik naar Ecuador vertrok, hoopte
ik uit de grond van mijn hart dat ik hem nooit meer
zou zien.*

En toen besloot hij dat hij naar Ecuador wilde komen om bij me te zijn. Je moet weten dat mijn vader een bepaalde arrogantie had die ik niet van hem kon uitstaan, en ik dacht dat hij dáárom wilde komen. Ik dacht dat hij zich opeens als een vader zou willen gedragen en links en rechts adviezen zou willen geven waar ik helemaal niet op zat te wachten. Of dat hij het ziekenhuis zou willen reorganiseren om alles efficiënter te maken, of dat hij briljante ideeën had om de situatie er voor ons leefbaarder op te maken. Of dat hij zich zo sterk geroepen zou voelen om zijn schulden uit het verleden goed te maken, dat hij een hele ploeg jonge vrijwilligers mee zou brengen – artsen die in ons ziekenhuis wilden komen werken. Natuurlijk zou hij er wél voor zorgen dat de pers thuis een heel duidelijk beeld had wie er voor al deze goede daden verantwoordelijk was. Mijn vader had het altijd heerlijk gevonden om zijn naam in de krant te zien, en hij wist heel goed dat goede publiciteit belangrijk was voor hem en zijn praktijk. Tegen de tijd dat hij zou arriveren, heb ik op het punt gestaan mijn boeltje te pakken en naar huis te gaan. Ik had tientallen antwoorden klaar voor zo ongeveer alles waarvan ik vermoedde dat hij het tegen me zou zeggen. Excuses? Daar is het intussen wel een beetje laat voor. Fijn om je te zien? Ik wou dat ik dat ook kon zeggen. Ik geloof dat we met elkaar moeten praten? Dat lijkt me geen goed idee. In plaats daarvan zei hij bij ons weerzien alleen maar 'Hoi', knikte, en liep door. Dat was ons enige contact gedurende de eerste week van zijn verblijf hier.

Ik kan niet zeggen dat het er daarna snel beter op werd. Maandenlang verwachtte ik dat hij weer net zo zou worden als vroeger, en ik observeerde hem aan één stuk door, klaar om hem erop aan te vallen. Maar dat gebeurde nooit. Hij heeft niet één keer ge-klaagd over het werk of over de werkomstandighe-den, hij kwam alleen maar met suggesties wanneer hem daar rechtstreeks om werd gevraagd, en hoe-wel hij zich er nimmer op liet voorstaan, heeft de leider van het project me uiteindelijk bekend dat het mijn vader was geweest die alle medicamenten en apparatuur had betaald die we zo verschrikke-lijk hard nodig hadden, maar dat hij erop had ge-staan dat zijn gift anoniem zou blijven.

Wat ik, geloof ik, het meeste heb gewaardeerd, was dat hij niet deed alsof we iets voor elkaar wa-ren wat we niet waren. Maandenlang waren we geen vrienden en beschouwde ik hem niet als een vader, maar hij heeft nooit geprobeerd om me ten aanzien daarvan op andere gedachten te brengen. Hij heeft me op geen enkele manier onder druk gezet, en ik geloof dat ik me daardoor uiteindelijk steeds minder defensief ben gaan voelen.

Wat ik probeer te zeggen is, denk ik, dat mijn vader was veranderd, en dat ik beetje bij beetje het gevoel begon te krijgen dat er misschien toch iets aan hem was dat een tweede kans verdiende. En hoewel ik weet dat hij, voordat hij jou had ontmoet, ook al veranderd was, weet ik ook dat het aan jou te danken is dat hij uiteindelijk de mens werd die hij is geworden. Voor hij jou leerde kennen was hij ergens naar op zoek. En dat heeft hij bij jou gevonden.

Mijn vader had het altijd over je, en hoewel ik niet weet hóeveel brieven hij je heeft geschreven, vermoed ik dat het er tientallen zijn geweest. Hij hield van je, maar dat moet je duidelijk zijn geweest. Wat je mogelijk níet duidelijk is, is dat hij, vóórdat hij jou leerde kennen, vermoedelijk geen idee had wat het betekent om van iemand te houden. Mijn vader had het in zijn leven een heel eind geschopt, maar ik weet zeker dat hij alles geruild zou hebben voor een leven lang met jou. Gezien het feit dat hij getrouwd was met mijn moeder, vind ik het niet gemakkelijk om dit te schrijven, maar ik dacht dat het je goed zou doen om het te weten. Bovendien denk ik dat het voor hem belangrijk was om te weten dat ik besefte hoeveel je voor hem betekende.

Op de een of andere manier heb je mijn vader veranderd, en dankzij jou zou ik dit afgelopen jaar voor geen goud hebben willen missen. Ik weet niet hóe je het hebt gedaan, maar je hebt mijn vader gemaakt tot iemand die ik nu al mis. Je hebt hem gered, en op grond daarvan zou je kunnen zeggen dat je, in zekere zin, ook mij hebt gered.

Hij kwam naar het hospitaal in de bergen omdat ík daar was. Het was een verschrikkelijke avond. Het had dagenlang achtereen geregend en de wegen waren één grote modderpoel. Toen ik naar het ziekenhuis getelegrafeerd had dat ik niet terug kon komen omdat mijn jeep niet wilde starten en dat er aardverschuivingen dreigden, was hij degene die om een andere jeep vroeg – hoewel de leider daar faliekant op tegen was – omdat hij me wilde halen. Pap trotseerde alles om mij te redden, en toen ik zag dat híj degene was die achter het stuur zat, was dat, denk ik, de eerste keer dat ik zo over hem dacht. Tot op dat moment was hij altijd mijn vader geweest, maar niet 'pap', als je begrijpt wat ik bedoel.

We hadden geen vijf minuten later moeten vertrekken. Kort nadat we de nederzetting uit waren, hoorden we een enorm lawaai en begrepen we dat de zijkant van de berg omlaag was gekomen en dat het hospitaal in één klap verdwenen moest zijn. Ik weet nog hoe we elkaar aankeken en amper konden geloven dat het maar zó weinig had gescheeld.

Ik wou dat ik je kon vertellen wat er daarna is misgegaan, maar dat kan ik niet. Hij reed uiterst voorzichtig en we waren bijna weer thuis. Ik kon het licht van het ziekenhuis in het dal al zien. Maar opeens, toen we een scherpe bocht namen, raakte de jeep in een slip, en voor ik het wist schoten we van de weg de afgrond in.

Afgezien van een gebroken arm en een paar ge-
broken ribben was ik er goed van afgekomen, maar
ik zag meteen dat mijn vader er veel erger aan toe
was. Ik weet nog dat ik tegen hem schreeuwde dat
hij vol moest houden, en dat ik hulp zou gaan
halen, maar hij pakte mijn hand en hield me tegen.
Ik denk dat hij ook geweten moet hebben dat hij
niet meer lang te leven had, en hij wilde dat ik bij
hem zou blijven.
En toen vroeg deze man, die zojuist mijn leven
had gered, of ik hem wilde vergeven.
Hij hield van je, Adrienne. Vergeet dat alsjeblieft
nooit. Hij heeft je maar korte tijd gekend, maar hij
aanbad je, en het spijt me verschrikkelijk voor je dat
je hem hebt verloren. Als het je zwaar valt, zoals mij,
troost je dan met de gedachte dat hij hetzelfde voor
jou gedaan zou hebben als hij voor mij heeft gedaan,
maar dat ik, dankzij jou, de kans heb gekregen om
mijn vader te leren kennen en van hem te houden.
Ik denk dat ik eigenlijk niets anders wil zeggen
dan: dank je wel.

Mark Flanner

Amanda legde de brief op tafel. Het was bijna donker geworden in de keuken en ze hoorde het geluid van haar
eigen ademhaling. Haar moeder was, alleen met haar gedachten, in de zitkamer gebleven. Amanda vouwde de
brief dubbel terwijl ze aan Paul dacht, en aan haar moeder, maar vreemd genoeg ook aan Brent.

Met moeite herinnerde ze zich die Kerstmis zo lang geleden – hoe stil haar moeder was geweest, haar glimlachjes die altijd een beetje geforceerd hadden geleken, de tranen waarvan ze allemaal hadden gedacht dat die met hun vader te maken hadden.

En al die tijd had ze er met geen woord over gerept.

Ondanks het feit dat haar moeder en Paul niet de jaren samen hadden gehad die zij met Brent had gehad, wist Amanda opeens heel zeker dat Pauls dood een even grote klap voor haar moeder moest zijn geweest als Brents dood voor haar, maar met één verschil.

In tegenstelling tot haar, had haar moeder niet de kans gekregen om afscheid te nemen.

—•—

Toen Adrienne de gedempte snikken van haar dochter hoorde, wendde ze zich af van het raam en liep naar de keuken. Amanda keek stilzwijgend, en met een gekwelde blik in haar ogen naar haar op.

Adrienne stond even roerloos naar haar dochter te kijken, maar toen spreidde ze haar armen. Amanda kwam als vanzelf overeind, terwijl ze vergeefs probeerde haar tranen de baas te blijven. En moeder en dochter stonden lange, lange tijd met de armen om elkaar heen geslagen, in de keuken.

Achttien

———⋅✦⋅———

Het was kil geworden en Adrienne had een paar kaarsen aangestoken om de keuken een beetje lichter en warmer te maken. Ze was aan tafel gaan zitten, en had Marks brief, met het briefje van Paul en zijn foto, weer in de doos gedaan. Amanda hield haar handen op haar schoot gevouwen en sloeg haar met een ernstig gezicht gade.

'Wat moeilijk moet dat voor je zijn geweest, mam,' zei ze zacht. 'Alles. Het verlies van Paul, en het feit dat je je verdriet met niemand kon delen. Het moet verschrikkelijk zijn geweest om zoiets helemaal in je eentje te verwerken.'

'Alleen? Nee, alleen zou ik dat nooit hebben gekund,' zei Adrienne.

Amanda schudde haar hoofd. 'Hoe bedoel je? Je had toch niemand om het mee te delen?'

'Ja, gelukkig wel.'

Amanda keek haar verbaasd aan. Adrienne schonk haar een melancholiek glimlachje.

'Opa,' zei ze ten slotte. 'Mijn pappie. Bij hem heb ik uitgehuild. Wekenlang heb ik aan zijn bed zitten snikken. Ik zou niet weten wat ik zonder hem gedaan zou hebben.'

'Maar...' begon Amanda, en Adrienne maakte haar zin voor haar af.

'Hij kon niets zeggen?' Adrienne wachtte even. 'Dat hoefde hij ook niet. Hij luisterde, en meer had ik niet nodig. En daarbij, zelfs áls hij had kunnen praten, wist ik dat hij toch niets had kunnen zeggen wat de pijn er minder op gemaakt zou hebben.' Ze keek op. 'En dat weet jij net zo goed als ik.'

Amanda perste haar lippen op elkaar. 'Ik wou dat je het me verteld had,' zei ze. 'Eerder, bedoel ik.'

'Vanwege Brent?'

Amanda knikte.

'Ja, dat weet ik, maar je was er nu pas klaar voor. Je had tijd nodig om je eigen verdriet op je eigen manier te verwerken.'

Amanda zweeg lange seconden.

'Het is niet eerlijk. Jij en Paul, en ik en Brent,' fluisterde ze.

'Nee, het is niet eerlijk.'

'Hoe kon je verdergaan nadat je hem zo had verloren?'

Adrienne glimlachte verdrietig. 'Ik nam elke dag zoals hij kwam. Dat zeggen ze toch, dat je dat moet doen? Ik weet dat het dom klinkt, maar wanneer ik 's ochtends wakker werd, hield ik mezelf voor dat ik alleen díe dag maar sterk hoefde te zijn. Alleen die enkele dag maar. En dat deed ik elke dag opnieuw.'

'Het klinkt zo simpel, als je het zo zegt,' fluisterde Amanda.

'Ja, maar dat was het niet. Het was de moeilijkste periode van mijn leven.'

'Nog moeilijker dan nadat pap was weggegaan?'

'Dat was ook moeilijk, maar dit was anders.' Adrienne schonk haar een vluchtig glimlachje. 'Dat zijn jouw woorden, weet je nog?'

Amanda keek weg. Ja, dacht ze, dat weet ik nog. 'Ik wou dat ik hem had gekend.'

'Je zou hem gemogen hebben. Na verloop van tijd, bedoel ik. Op dat moment had je waarschijnlijk niets van hem willen weten. Je hoopte nog steeds dat je vader en ik ons zouden verzoenen.'

Amanda's hand ging als vanzelf naar de trouwring die ze nog steeds droeg, en ze draaide hem rond haar vinger. Haar gezicht stond strak.

'Je hebt een heleboel verloren in je leven.'

'Ja, dat heb ik.'

'Maar toch maak je nu zo'n gelukkige indruk.'

'Ik ben ook gelukkig.'

'Hoe kan dat?'

Adrienne zette haar handen tegen elkaar. 'Natuurlijk maakt het me verdrietig als ik aan Paul denk, of aan alle jaren die we samen hadden kunnen hebben. Dat maakte me toen verdrietig, en dat doet het nu nog steeds. Maar je moet ook iets anders begrijpen: zo moeilijk als het was, en hoe oneerlijk en verschrikkelijk het lot uiteindelijk ook was, ik zou die paar dagen die ik met hem heb gehad voor geen goud hebben willen missen.'

Ze zweeg omdat ze er zeker van wilde zijn dat haar dochter dat begreep. 'Mark schrijft dat ik Paul van hemzelf heb gered. Maar als Mark het me gevraagd zou hebben, zou ik hebben gezegd dat we elkáár hadden gered, of dat hij mij had gered. Als ik hem nooit ontmoet had, geloof ik niet dat ik Jack ooit vergeven zou kunnen hebben, en zou ik nooit de moeder en de grootmoeder hebben kunnen zijn die ik ben. Dankzij hem ben ik naar Rocky Mount teruggekomen in het besef dat alles goed zou komen en dat ik ondanks alles gelukkig zou zijn. En gedurende het jaar waarin we elkaar schreven, gaf hij me de kracht die ik nodig had toen ik uiteindelijk hoorde wat hem was overkomen. Ja, ik was er kapot van dat ik hem verloren had, maar als ik terug had kunnen gaan in de tijd – en als ik daarbij van tevoren had geweten wat er zou gebeuren – zou ik nog steeds gewild hebben dat hij naar Ecuador ging omwille van zijn zoon. Het was van groot belang voor hem om het goed te maken met Mark. Zijn zoon had hem nodig – had hem altijd nodig gehad. En het was nog niet te laat.'

Amanda keek weg in de wetenschap dat ze het ook over Max en Greg had.

'Daarom heb ik je het verhaal van begin af aan verteld,' ging Adrienne verder. 'Niet omdat ik heb doorgemaakt wat jij nu doormaakt, maar omdat ik je duidelijk wilde maken hoe belangrijk zijn relatie met zijn zoon was. En hoeveel het voor Mark betekende om dat te weten. Dat zijn de wonden die moeilijk te helen zijn, en ik wil niet dat je nog meer wonden krijgt dan je nu al hebt.'

Adrienne reikte over de tafel heen en nam haar dochters hand in de hare. 'Ik weet dat je nog steeds verdriet hebt over Brent, en ik kan niets doen om je daarmee te helpen. Maar als Brent hier kon zijn, dan zou hij zeggen dat je je op de kinderen moet concentreren, en niet op zijn dood. Hij zou willen dat je je de goede momenten herinnert, en niet de slechte. En vóór alles zou hij de zekerheid willen hebben dat je je erdoorheen zult slaan.'

'Dat weet ik ook wel –'

Adrienne viel haar in de rede door haar hand te drukken. 'Je hebt meer kracht dan je denkt,' vervolgde ze, 'maar alleen wanneer je dat wilt.'

'Zo gemakkelijk is het niet.'

'Natuurlijk niet, maar je moet goed begrijpen dat ik het niet over je gevoelens heb. Die kun je niet de baas. Je zult blijven huilen, en je zult nog steeds momenten krijgen waarop je denkt dat je niet verder kunt. Maar je moet blijven doen alsof je dat wel kunt. Op dit soort momenten is je gedrag zo ongeveer het enige waar je invloed op uit kunt oefenen.' Ze zweeg. 'Je kinderen hebben je nodig, Amanda. Ik geloof niet dat ze je ooit zó nodig hebben gehad als nu. Maar de laatste tijd was je er niet voor hen. Ik weet dat je verdriet hebt, en ik heb verdriet om jou, maar je bent een moeder en je kunt zo niet doorgaan. Brent zou het niet gewild hebben en je kinderen betalen de prijs.'

Adrienne was uitgesproken en Amanda bleef naar de tafel kijken. Maar toen, als in een vertraagde film, hief ze haar hoofd op en keek ze haar moeder aan.

Adrienne wilde dolgraag weten wat er op dat moment in haar dochter omging, maar ze had er geen flauw idee van.

———

Toen Amanda thuiskwam, stond de televisie aan en was Dan bezig met het opvouwen van de handdoeken die hij uit de wasmand haalde. De kleren lagen in gesorteerde stapels op de lage tafel. Dan pakte de afstandsbediening en zette het geluid zachter.

'Ik vroeg me al af wanneer je terug zou komen,' zei hij.

'O, hallo,' zei Amanda, om zich heen kijkend. 'Waar zijn de jongens?'

Dan knikte in de richting van de gang terwijl hij een groene handdoek op de stapel legde. 'Ze zijn net naar bed. Ik vermoed dat ze nog wakker zijn, voor het geval je ze nog even welterusten wilt wensen.'

'En waar zijn jouw kinderen?'

'Ik heb ze samen met Kira op de terugweg thuis afgezet. O, en Max heeft pizzasaus op zijn Scooby-Doo-shirt gemorst. Hij was flink van streek, dus ik denk dat het een van zijn lievelingsshirts was. Het ligt in de wastafel te weken, maar ik kon de vlekkenverwijderaar nergens vinden.'

Amanda knikte. 'Ik zal morgen meteen halen. Ik moet

toch boodschappen doen. Er is van alles wat aangevuld moet worden.'

Dan keek zijn zuster aan. 'Als je een lijstje maakt, kan Kira het voor je halen. Ik weet dat ze ook boodschappen moet doen.'

'Dat is lief van je aangeboden, maar het is hoog tijd dat ik dat soort dingen weer eens zelf ga doen.'

'Goed...' Hij glimlachte onzeker. Even zeiden ze geen van beiden iets.

'Bedankt voor het mee uit nemen van de jongens,' zei Amanda ten slotte.

Dan haalde zijn schouders op. 'Niets te danken. We gingen toch, en ik dacht dat ze het wel leuk zouden vinden om mee te gaan.'

Amanda klonk ernstig: 'Nee, ik bedoel, bedankt voor ál die keren dat je ze de laatste tijd hebt meegenomen. Niet alleen vanavond. Jij en Matt zijn geweldig geweest sinds... sinds ik Brent heb verloren, en ik geloof niet dat ik jullie ooit heb gezegd hoe dankbaar ik jullie daarvoor ben.'

Dan keek weg bij het horen van Brents naam. Hij pakte de lege wasmand.

'Ach, waar heeft een mens ooms voor, nietwaar?' Hij hield de mand voor zich en verplaatste zijn gewicht van zijn ene op zijn andere voet. 'Zal ik de jongens morgen halen? Ik had met het hele stel willen gaan fietsen.'

Amanda schudde haar hoofd. 'Dank je wel, maar nee.'

Dan keek haar onderzoekend aan. Amanda leek het

niet te merken. Ze trok haar jack uit en legde het met haar tas op de stoel. 'Ik heb vanavond lange tijd met mam zitten praten.'

'O? En hoe was dat?'

'Als ik je dat zou vertellen, zou je er zeker de helft niet van geloven.'

'Wat zei ze?'

'Je had erbij moeten zijn. Maar ik ben vandaag iets heel belangrijks over haar te weten gekomen.'

Dan keek haar afwachtend aan.

'Ze is een stuk taaier dan ze lijkt,' zei Amanda.

Dan lachte. 'Ja hoor... Ze moet al huilen wanneer er een goudvis doodgaat.'

'Dat kan zijn, maar ik wou dat ik in heel wat opzichten even sterk was als zij.'

'Dat zal wel.'

Bij het zien van Amanda's ernstige gezicht, begreep hij opeens dat ze het meende. Er verscheen een bedenkelijke rimpel op zijn voorhoofd.

'Wacht even,' zei hij. 'Je hebt het toch over ónze moeder, hè?'

Dan ging een paar minuten later weg, en hoewel hij getracht had van Amanda te weten te komen wat hun moeder had gezegd, wilde ze dat niet vertellen. Ze begreep waarom haar moeder haar verhaal indertijd, en in de jaren daarna, voor hen had verzwegen, en ze wist dat haar moeder het aan Dan zou vertellen wanneer ze vond dat ze daar een reden toe had.

Amanda deed de deur achter Dan op slot, en keek de kamer rond. Hij had niet alleen de was uitgezocht en opgevouwen, maar ook opgeruimd. Ze herinnerde zich dat er, voor ze het huis uit was gegaan, talloze video's voor de televisie op de grond hadden gelegen, dat er meerdere lege mokken op het bijzettafeltje hadden gestaan en dat er een slordige stapel tijdschriften op het kastje bij de deur had gelegen.

Dan had overal voor gezorgd. En niet voor de eerste keer.

Amanda deed het licht uit. Ze dacht aan Brent, aan de afgelopen acht maanden en aan haar kinderen. Greg en Max deelden de kamer aan het ene einde van de gang; de grote slaapkamer lag aan het andere einde van de gang. De laatste tijd had die afstand haar op het einde van de dag te groot geleken. Voor Brents overlijden had ze de jongens altijd naar bed gebracht, had ze met hen gebeden en hen voorgelezen, waarna ze ze lekker had ingestopt.

Vanavond had haar broer dat voor haar gedaan. Gisteravond had niemand het gedaan.

Amanda ging naar boven. Het was donker in huis, en de gang boven was in schaduwen gehuld. Toen ze bij de bovenste tree was gekomen, hoorde ze haar zoontjes met elkaar fluisteren. Ze liep de gang af, bleef op de drempel van hun kamer staan en gluurde naar binnen.

Hun bedden stonden naast elkaar, en hun dekbedhoezen hadden afbeeldingen van dinosaurussen en raceauto's.

247

De vloer tussen de bedden in lag bezaaid met speelgoed. In het stopcontact naast de kast zat een nachtlampje, en in de stilte zag ze hoeveel de jongens op hun vader leken.

Ze lagen onbeweeglijk stil. Ze wisten dat ze naar hen stond te kijken en hoopten dat ze zou denken dat ze sliepen – alsof ze zich liever voor hun moeder verstopten.

De vloer kraakte onder haar gewicht. Max leek zijn adem in te houden. Greg deed zijn ogen op een kiertje open, maar deed ze meteen weer dicht toen Amanda naast hem op het bed ging zitten. Ze boog zich over hem heen, gaf hem een zoen op zijn wang en kamde met haar vingers door zijn haar.

'Hé,' fluisterde ze. 'Slaap je?'

'Ja,' zei hij.

Amanda glimlachte. 'Heb je zin om vannacht bij mammie te slapen? In het grote bed?' fluisterde ze.

Het leek even te duren voor Greg had begrepen wat ze bedoelde. 'Bij jou?'

'Ja.'

'Best,' zei hij, en Amanda gaf hem nog een zoen waarna hij ging zitten. Ze ging op de rand van Max' bed zitten. Zijn haar had een gouden gloed in het licht dat door het raam naar binnen viel.

'Hallo, knul.'

Max slikte, maar hij hield zijn ogen stijf dicht. 'Mag ik ook?'

'Als je wilt.'

'Best,' zei hij.

Amanda glimlachte toen ze opstonden, maar toen ze

naar de deur liepen trok ze ze terug en nam ze ze in haar armen. Ze roken naar kleine jongens: modder, zoet gras en de verpersoonlijking van onschuld.

'Zullen we morgen naar het park gaan, en daarna een ijsje halen?' vroeg ze.

'Mogen we dan ook vliegeren?' wilde Max weten.

Amanda drukte ze dichter tegen zich aan en sloot haar ogen.

'De hele dag. En de volgende dag ook, als je dat wilt.'

Negentien

Het was na middernacht, en Adrienne zat met de schelp in haar handen op haar bed. Dan had een uur eerder gebeld met nieuws over Amanda.

'Ze zei dat ze morgen iets met de jongens wilde gaan doen, zij met z'n drietjes. Dat het hoog tijd was dat ze eens wat meer tijd met hun moeder doorbrachten.' Hij zweeg. 'Ik weet niet wát je tegen haar hebt gezegd, maar zo te zien heeft het gewerkt.'

'Daar ben ik blij om.'

'Wat héb je dan tegen haar gezegd? Ik heb haar ernaar gevraagd, maar ze deed er heel geheimzinnig over.'

'Precies hetzelfde als wat ik al maanden tegen haar zeg. En wat jij en Matt al tijden tegen haar zeggen.'

'En waarom heeft ze er deze keer dan wel naar geluisterd?'

'Ik denk,' zei Adrienne, 'omdat ze er eindelijk naar wílde luisteren.'

Later, nadat ze had opgehangen, las Adrienne alle brieven van Paul nog eens door, precies zoals ze van tevoren had geweten dat ze zou doen. Hoewel zijn woorden door de tranen heen moeilijk te lezen waren, waren haar eigen woorden nog moeilijker te lezen. Ook die had ze eindeloos veel keren doorgelezen, de woorden die ze in het jaar van hun scheiding aan Paul had geschreven. Haar eigen brieven zaten in het tweede stapeltje, het stapeltje dat Mark Flanner had meegebracht toen hij haar, twee maanden nadat Paul in Ecuador begraven was, thuis was komen bezoeken.

Amanda was vergeten om voor haar vertrek naar Marks bezoek te vragen, en Adrienne had haar er niet aan herinnerd. Misschien dat Adrienne het haar ooit nog eens zou vertellen, maar op dit moment had ze er nog geen idee van hoeveel ze erover wilde zeggen. Dit was het enige gedeelte van het verhaal dat ze in al die jaren met niemand had gedeeld, en dat ze, net als de brieven, voor de buitenwereld verborgen had gehouden. Zelfs haar vader wist niet wat Paul had gedaan.

In de bleke gloed van de straatlantaarns die door het raam naar binnen viel, stond Adrienne op van het bed, haalde een jack en een sjaal uit haar kast en ging naar beneden. Ze deed de achterdeur open en stapte naar buiten.

De sterren straalden als glittersteentjes op een goochelaarscape, en de lucht was vochtig en koud. De plassen in de achtertuin weerkaatsten het zwart van de hemel. Bij de buren brandde licht, en hoewel ze wist dat ze het zich alleen maar verbeeldde, kon ze de zilte lucht van de nevel van zee bijna ruiken.

Mark had haar op een ochtend in februari bezocht. Hij had zijn arm nog in een draagdoek gehad, maar dat was haar nauwelijks opgevallen. In plaats daarvan had ze hem alleen maar aan kunnen staren. Hij leek, zo vond ze, sprekend op zijn vader. Toen hij, op het moment waarop ze de deur voor hem opendeed, haar een intens verdrietig glimlachje schonk, deed ze haastig een stapje naar achteren, en kostte het haar moeite om haar tranen te bedwingen.

Ze zaten met twee koppen koffie tussen hen in aan tafel, en Mark haalde haar brieven uit zijn tas.

'Hij had ze bewaard,' zei hij. 'Ik wist niet wat ik anders met ze moest doen, behalve ze aan jou terug te geven.'

Adrienne knikte terwijl ze ze van hem aanpakte.

'Dank je voor je brief,' zei ze. 'Ik kan me voorstellen dat het heel moeilijk voor je was om hem te schrijven.'

'Niets te danken,' zei hij. Daarna was hij lange seconden stil, maar uiteindelijk vertelde hij haar waarom hij was gekomen.

Nu, op de veranda, glimlachte Adrienne bij de gedachte aan wat Paul voor haar had gedaan. Ze herinnerde zich hoe ze, na Marks vertrek, naar het verpleeghuis was gegaan om haar vader te bezoeken – het verpleeghuis waar haar vader nu altijd kon blijven. Mark had verteld dat Paul geregeld had dat haar vader daar tot aan zijn dood zou kunnen blijven, en dat dat een cadeau was geweest waarmee hij haar had willen verrassen. Toen ze begon te protesteren, zei Mark dat hij het verschrikkelijk zou hebben gevonden als ze dat geschenk niet van hem had willen accepteren.

'Toe,' zei hij ten slotte, 'het is wat pap gewild zou hebben.'

In de jaren die volgden koesterde ze Pauls laatste gebaar, evenals elk moment dat ze samen hadden gedeeld. Paul betekende nog steeds alles voor haar, en zou altijd alles voor haar betekenen, en op die kille winteravond wist Adrienne dat dat altijd zo zou blijven.

Ze had al meer jaren achter zich dan ze nog voor de boeg had, maar zo lang leek het helemaal niet. Hele jaren waren uit haar geheugen verdwenen, weggespoeld als voetstappen langs het water. Met uitzondering van de tijd die ze met Paul Flanner had doorgebracht, dacht ze wel eens dat ze zich net zomin van de dingen bewust was geweest als een klein kind dat op een lange autoreis door het raampje naar het langsglijdende landschap zit te kijken.

Ze was in de loop van een enkel weekend verliefd geworden op een onbekende man, en ze zou nooit meer op een ander verliefd kunnen worden. Het verlangen om opnieuw lief te hebben was gestorven in een afgrond in de bergen van Ecuador. Paul was gestorven voor zijn zoon, en op dat moment was er ook een deel van haar gestorven.

Maar ze was niet bitter. Ze wist dat zij onder dergelijke omstandigheden precies hetzelfde voor haar kind gedaan zou hebben. Ja, Paul was er niet meer, maar hij had

haar zoveel nagelaten. Ze had liefde gevonden en vreugde, ze had de kracht gevonden waarvan ze nooit had geweten dat ze die bezat, en niets en niemand kon haar die
dingen ooit afnemen.

Maar alles was nu voorbij, en het enige wat haar nog
restte waren de zorgvuldig opgebouwde herinneringen.
Die waren even reëel voor haar als de tuin waar ze nu
naar keek. Ze knipperde de tranen terug die boven, in de
eenzame duisternis van haar slaapkamer waren begonnen, en hief haar kin op. Ze keek op naar de hemel,
ademde diep in en luisterde in haar verbeelding naar de
verre echo van de golven die op een stormachtige nacht
voor Rodanthe tegen het strand waren geslagen.